JN073388

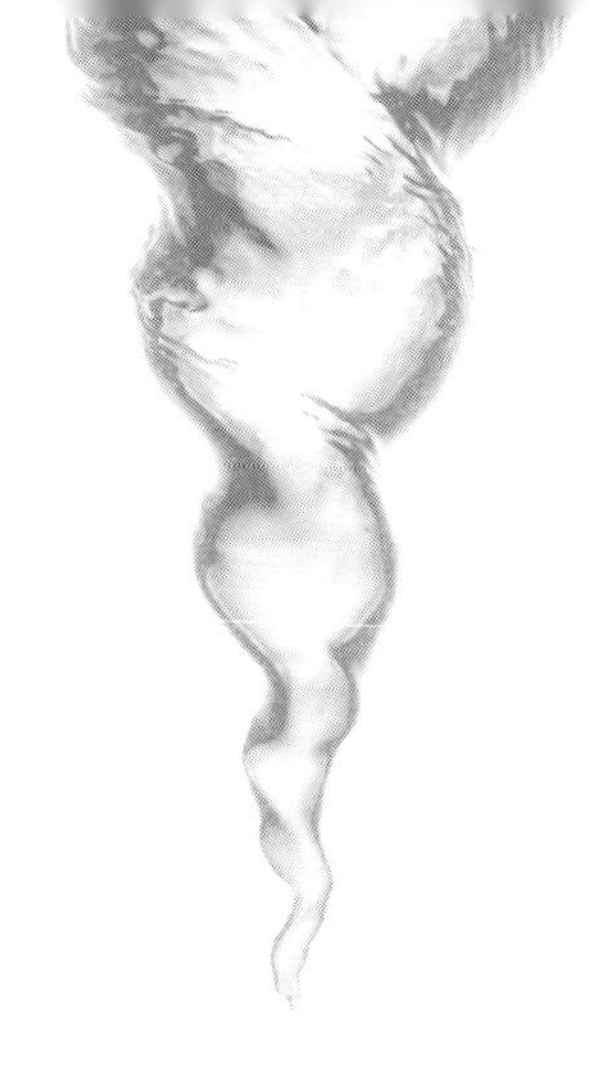

巨大闇権力が
隠蔽した
禁断原理

渦巻く水の超科学

未来を救う「シャウベルガー理論」の全貌

—

オロフ・アレクサンダーソン［著］
遠藤昭則［訳］

ヒカルランド

推薦の言葉　　木村秋則

巨大化する自然災害、食問題、原発エネルギー等
人類がこれから進むべき方向を示唆した必読の一冊（参考書）です。
シャウベルガー博士の考えをドイツでデメター*が取り入れ、
私もその実技をはじめ栽培方法等を
実施者たちと話し合って来たので、
本書はとくに親しみ深く読みました。

生物が活動するための一番の基礎となる「水」――
必需のものでありながら、これまで誰もがあまり注目せずに、
あるのが当たり前のように感じて、その有難さを忘れています。
本書を多勢の人に読んでもらいたいです。

*デメターとは、1924年に設立された有機農業製品認証団体。
ドイツで一番古い有機農法における代表的な認証機関。

出版社付記

１９８２年、当時は水流の渦に関する研究などほとんど行われていなかった。
しかし英語訳初版は好評だった。
そして現在、生態系の危機が叫ばれるにつれ、
人々は新たな技術を模索し始めている。本書はその一助となるだろう。

序文　これから地球とあらゆる生命が生存してゆくための唯一の方法がここにある

ヴィクトル・シャウベルガー、彼はオーストリアの大自然の中で暮らし、森や水の研究を深めました。自然界に隠された真実を見極めようと観察し続けていたのです。そして彼は、水と森の密接なつながりに気付きました。それをもとに水や植物、また人を含めた栄養資源の循環、川の形とその流れから受ける環境の変化などを研究していくようになったのです。現在では、人の生活と自然界との関係が複雑になってきています。それで、ますますその研究が重みを増すでしょう。

人為的ミスで自然はゆっくり破壊されています。急速な森林伐採で、広範な地域に自然破壊が起きています。特に、熱帯地方ではそれが顕著に現れてきました。流水系の破壊、深刻な土壌の腐食化、肥沃な土地は壊滅し、そこで生活していた植物や動物は消え失せ、乾燥化が進んでいます。

それだけではありません。はるか沖合にも影響が出ています。川から流れ出た異常な堆積物で沿岸水域の光量が減少しています。そのために、外洋の商業資源となる魚たちの住処(すみか)になっていたサンゴ礁が死滅しているのです。

シャウベルガーはヨーロッパで研究をしていました。しかし、それが熱帯地方でも証明されています。私たちの住んでいる地域でもそうです。肥沃な土地に有害な環境対策を取り続けるなら、結局は再生可能なはずの天然資源が大打撃を受けるでしょう。

生物同士の関係、その長期的展望などを顧みず、人は天然資源から早く利益を上げようとしています。近代の林業がそれを証明しています。

しかし人類が生存していくためには、生物が相互に依存し合っていることを忘れてはなりません。完璧な調和を保って共存すべきであるというのが自然の青写真なのです。そのために生態系のプロセス、遺伝のプロセスを考えねばなりません。それは生存の基礎であり、水・土壌・植物、そして動物との相互関係へとつながっていくものだからです。

国連環境計画、特別顧問
カイ・カリー・リンダール

はじめに　今こそシャウベルガーの「予言」と「技術原理」を真摯に受けとめるべき時

驚異の自然科学者、発明家、そして哲学者であるヴィクトル・シャウベルガーのことを書いてはどうかと多くの人から提案されました。1920年代、すでに彼は講演や論文の中で環境危機に言及しています。そのほとんどが、現在では大きな問題になっていることばかりです。

彼は生涯において多くの抵抗や軽蔑を受けました。しかし、今や彼の生き方やその研究に世界中の関心が寄せられています。人々は、悲惨な運命に弄ばれたこの強力な個性の持ち主と、世の中を変革しようとするその大胆な理論に感銘を受けるようになったのです。

ヴィクトル・シャウベルガーは、自然界の深淵へと突き進んだ人物です。その理論は、自然界の生命とその働きを鋭く観察したことによって得られたものです。しかし彼の研究は、一般的な科学の範疇に入れられませんでした。

もちろん彼は学問の世界では門外漢であり、単なる素人の研究者でした。しかし歴史が教えてくれています。学問の世界では無学の素人とずっと見なされていた人物が、しばしば画期的な発見を成し遂げてきたのです。生前は見向きもされなかった人物が、後世の人たちから称賛を受けることがよくあります。ヴィクトル・シャウベルガーもいつか科学者の仲間に入れられるかもしれません。

今まで、ヴィクトル・シャウベルガーの英語文献はありませんでした。わずかに、「ザ・メン・オブ・ザ・ツリーズ」（樹木の栽培とその保護に関する団体）の機関誌にひっそりと英文記事が載っただけです。

本書は、彼の生涯とその研究に関するものです。私は1956年に彼のことを知りました。それ以来ずっと収集してきたもののいくつかをここで紹介しましょう。

彼に個人的に会ったことはありませんが、息子のヴァルター・シャウベルガーや旧友、同僚とは長く付き合いがあります。それで彼の人生や研究がとても親しく感じられるようになりました。

本書は伝記ではありません。また彼の理論を詳細に説明したものでもありません。私の個人的意見は極力排し、主としてシャウベルガーや親しい人の意見を載せてあります。

本書の情報が不十分であることはわかっています。彼が書いたものの一部が不吉なアメリカへの旅行中に失われてしまったのです。この旅が彼を死に導いたのは確かです（訳注：第11章参照）。そのために欠落している部分や、もしかすると若干のミスがあるかもしれません。しかし全体としての筋は通っていると思います。

私の持っているものすべてを本文で紹介する必要はないでしょう。興味のある人はさらに調べることを望みます。

また、難解な彼独特の用語を目にするたびに読者がいらいらしないように読みやすくしたつもりです。ヴィクトル・シャウベルガーの文章を理解し翻訳する難しさをときどき感じます。彼の理論を説明するには使い古された言葉ではだめで、新たな言葉が必要になるからです。

理解が難しいときには新たに説明を付け加えようともしました。しかし、それによって理解が進むとわかっていても、結局は、どうしたらよいかわかりません。これが理解を助けるために必要だということはわかっているのですが、どうしようもないのです。同僚の一人だったウィルヘルム・バルタース教授の言葉を思い出します。

「ファーザー・シャウベルガーの言葉がわかりやすければ、未来に受け継げたのに」

ここで彼の理論についてどうこう言うことはできません。まだ、その中のほんのいくつかしか実証されていないからです。自然界の観察によるものでも、彼自身、いくつか誤解や間違いをしているかもしれません。しかしそうであっても、中核をなすものが正しければ、重要な革命的発見であるに違いありません。ヴィクトル・シャウベルガーの中核をなすテーマとは次のものです。

「現在普及している技術は間違った方法である。私たちの使っている機械やプロセスには、水や空気という液体やガスが使われている。しかし、それは自然界が物質を腐敗や分解のために使っているものだ。
ところが自然界（の水や空気）には物質を再生する働きもある。私たちの使っている技術が腐敗や分解のためだけであるなら、それは死の技術であり、物質を破壊し、自然界のすべてに危険な影響を与えていることになる」

そこでヴィクトル・シャウベルガーは自然界が持つ再構築の原理「サイクロイド螺旋運動」を実用化しようとしました。そして彼はこのいくつかを実現しています。彼は自然界に挑戦してみたのです。

その記録は高潔な空想物語のようにも見えます。しかし、ヴィクトル・シャウベルガーが長年月の苦労の末に発見したことを忘れてはなりません。彼が青年時代を過ごした、損なわれていない自然環境の中で目撃したことを、彼はていねいに記憶していたのです。

現在では、彼が暮らしていた当時の自然などありません。環境破壊によって自然の相関性は崩壊し、当時の姿など跡形もありません。

経済開発指向に挑む彼の姿勢は大仰（おおぎょう）なように見えます。ヴィクトル・シャウベルガーが活躍した1920年代~30年代、悲運を警告する彼の予言は、逆に楽しむものとしか受け取られていなかったようです。そうでなければ、ワインよりも水のほうがはるかに高価になっていたでしょう。ところが50年が過ぎた今（訳注：本書初版が出た1976年）、彼の予言は世界の多くの場所で現実のものとなっています。

ヴィクトル・シャウベルガーを批判することはできます。しかし、彼の理論がどのように受け取られようが、それは雄大で独創的なものであり、革命的なものです。

彼が自然を守護する偉大な人物であったということは否定できません。多くの人が彼の自然に向き合う姿勢と、その生命の哲学に感動してきました。ウィルヘルム・バルタースは次のように述べています。

「あなたたちは穏やかな満ち足りた生活を送ってきたかもしれません。しかし、ヴィクトル・シャウベルガーの考えに出会った瞬間、決してもとの平和な精神状態ではいられなくなるでしょう」

本書は、不十分なりにも、人を引き付け、鼓舞するヴィクトル・シャウベルガーの個性と思いを伝えるものになると信じています。水、森、肥沃な土地を情熱的に擁護した者と出会うことで、荒らされ、破壊された母なる大地の健康と尊厳を回復すべきだということを、読者が認識されるように願っています。それが人間の健康と尊厳の基礎だからです。

最後に、本書を出すにあたり、さまざまな面から多大な援助をしてくださった方々に、心から感謝いたします。

オロフ・アレクサンダーソン

目次

第4章 森林は地球の生命すべての生と死に関わる重要な役割を担っている

第5章 自然界の永久運動の原理をどのように技術に活かしていくか

第6章 危険な廃棄物を生み出さない生合成と内破による新たな技術開発

第7章 水と空気だけでエネルギーを生み出す夢のテクノロジーの実現へ

第8章 銀色の光を放った「空飛ぶ円盤」の推進原理はこうなっている

第9章 地球の大地と大気のエネルギー法則に合致した農業技術とは

第10章　全生命を破滅させる現代科学・思想・文化への最終警告

第11章　原子力と軍事力を牛耳る巨大権力への大いなる危惧

カバーデザイン　デザイン軒（吉原遠藤）
写真協力　中根豊
本文仮名書体　文麗仮名（キャップス）

第1章

知られざる天才の科学原理はどこからやって来たのか

ヒトラーに、悲惨な地球の未来を予言した水の魔術師

１９３４年のある日、ベルリンのドイツ総統官邸。ヒトラーは重厚な机を前にしていた。椅子に寄りかかり、対面に座っている男を注視している。閣僚理事のウィルフンは、今はただ傍観しているにすぎない。他には誰もいない。

ヒトラーに劣らず、男も威厳があった。50歳、背は高く、説得力がありそうな雰囲気を受ける。落ち着いた目、かぎ鼻、そして灰色の髭をはやしている。この男の名はオーストリアや近辺の広い範囲で知れ渡っていた。つねに議論の中心になってきた人物であり、敵も賛同者も多くいた。彼こそドナウ川のリンツから来た有名な「水の魔術師」ヴィクトル・シャウベルガーである。

ヒトラーが彼を呼んだのだった。そしてシャウベルガーに尋ねた。

「君は、いろいろおもしろいことに関わっているようだね。それなのに、我々の技術を人類史上最大の詐欺と思っているようじゃないか」

シャウベルガー「総統、本当のことを言いましょう」

ヒトラー（驚きながら）「そうだよ。思っていることを言いなさい」

シャウベルガー「総統、現代科学は間違っており、危険な道を歩んでいます。何よりもまず、生命

私が変だと人は言う。それは正しいことだと思いたい。地上をさまよう一人のばか者には何の意味もないことだ。しかしもし私が正しくて科学が間違っているのなら、神よ、人々に憐れみをかけてください。

ヴィクトル・シャウベルガー

の力、水の扱いに関することです。

水の管理、発電所、そして林業における既存の方法は、地球の血液である水を台無しにしています。水は病み、あらゆる環境がその影響を受けています。未来は進歩ではなく、悲惨な状態になるでしょう。

あなたの4年計画で使った技術はドイツを発展ではなく破壊しています。これによってドイツは10年以内に衰退してしまうでしょう」

そして二人はどうなったか、結末は後にとっておきましょう。

「森の子」が学んだ水に秘められている治癒力とは何か

ヴィクトル・シャウベルガーの先祖はバイエルン（訳注：現在のバイエルン州、州都はミュンヘン）の上流階級です。彼らは1230年頃、権力のある高位聖職者パッサウ司教と不仲になり、シャウブルグの法的権利、家族で住む家を失ったのでした。

1650年頃、ステファン・シャウベルガーはオーストリアに移り、ドライゼッセルベルク山のふもと、プロッケンシュタイン湖の近くに落ち着きました。

ほとんど森林開拓と野山での生活に明け暮れるしかない家族が、分家として始まりました。彼らの金言は「静かな森に忠実に」というものになりました。それで家紋は木の幹に野バラの飾りが付いたものになったのです。

ステファンの子孫の一人は、フランツ・ヨーゼフ（訳注：オーストリア皇帝）の時代、基礎自治体バート・イシュル最後の狩りのリーダーでした。

19世紀末、兄弟の一人は、プロッケンシュタイン湖の脇にあるホルツシュラグの熟練した木こりになっていました。彼には9人の子供がおり、1885年6月30日に生まれた5番目の子がヴィクトルです。

ヴィクトルは自身が残したものもそうであり、その環境もそうであったように、正真正銘の「森の子」でした。そして父親の跡を継ごうとしていたのです。彼は次のように書いています。

「幼少期から、父親や祖父、曾祖父やそれより以前の人たちと同じように森の番人になりたいと願っていた」

小さい頃から自然のいろいろなことにとても興味を持っていました。一日中、プロッケンシュタイン湖の周りの原生林地帯を一人で歩き回っていました。そこで動物や植物の生長を学び、山からの流水を調べていたのです。

彼は、森の生命や水に関して、本など及びもつかないほどたくさんのことを、父親や年上の親族から学びました。そのことについて次のように述べています。

「彼らは自分で見たり感じたりしたことを頼りにしてきた。特に、水の秘めた治癒力を認め、水を理解していた。用水路を夜に使い、隣接する牧草地や畑よりもはるかに多くの収穫をもたらしていた。しかし、一番に気にしていたのは森や野生地域を保護することだった」

母親も自然とともに生きた人でした。母親がどのように話してくれたか述べています。

「生活がつらく、どうすればよいかわからなくなったときにはね、小川の音を聞いてらっしゃい。そうすればきっとうまくいくようになるわ」

ヴィクトルの父親は、森林地で学問的な訓練を受けた者として成長するように願っていました。しかし彼は学問にはほとんど興味がありませんでした。間もなく勉強をやめて実用的な林業学校で勉強し、国有林監視員試験にきちんと合格したのです（訳注：他書では林業学校を蹴ったとなっているものもあるが、父親はアカデミックな農業大学へ入れたかったのであり、シャウベルガーは母親の影響もあり、それを蹴ったのだった)。

水は地球の血液——その独特な特性と自然法則を発見!

見習い(訳注:準森林監視員)期間が年上の森林監視員の下で始まりました。夢が実現し始めて、とても幸せなことだと興奮して書いた文章が残っています。

「第一次世界大戦終結後、自分の管理地区を与えられました。遠いけれども多くの利点がある場所です。アドルフ・ツー・シャウムブクク=リッペ王子に雇われ、21000ヘクタール以上もある、シュタイエルリンク、ベルネラウのほとんど手つかずの森を与えられたのです」

そこでシャウベルガーの本格的な研究が始まりました。この広大な原野は遠隔地であるために、ほとんど人の手が入っていませんでした。ほったらかしにされていると自然はどのような働きをするのかということを学ぶ絶好の機会を得たのです。

この地域には、今では見られなくなったさまざまな種類の樹木がありました。また野生生物もたくさんおり、そのうえ、美しい多くの川にはサケやマス、その他の魚もたくさんいたのです。

この原野では学問的な林業研究で学んだことは役に立たず、昔から家で学んできた知識を補足してくれるものばかりでした。

彼の水への関心は尋常ではありませんでした。やがて水の法則、特性、温度、流れの関係がわかってきました。プラス４度の「特異点」で、山の泉から流れてくる水の密度が最大になることに気付いたのです。それは明らかに水が最高品質になる点でした。

サケやマスは産卵時期に自分の生まれたところへ戻ってきますが、そこで最も豊かで美しい植生を発見しています。初期の森林監視員としてのこの時代、その後の人生で取り組む水の研究の下地ができていったのです。

何人かの年配のハンター仲間と山の僻地を訪れたときのことです。以前は泉が石造りの小屋の中にあったのですが、その後小屋は取り除かれ、太陽など外界からの光が直接泉に当たるようになっていました。

しばらくすると泉は干上がり、初めての現象に人々は驚きました。なぜこうなったのか皆で考えました。やがて誰かがもう一度石で小屋を立て直そうと言い出しました。復元してみると泉は復活したのです。

シャウベルガーには、森と日陰があるから泉が存在できることがわかっていました。後になって、水は「地球の血液」であり、自然なコースに沿って流れていれば水はだめにならないこともわかってきます。手が加えられていない水の流れは曲がりくねっています。その岸が木々や藪(やぶ)に覆われて日陰になっているのは偶然ではありません。

「水はこのような流路を好み、直射日光から身を守るために日陰の斜面(川岸)を作っていく」

低温、そして自然な流れこそ水が強さを維持していくための必要条件だったのです。

また他には、寒く、晴れた夜に水がとても大きな物体を運ぶのを見て、その重要さにも気付きました。彼はそれを応用しています。

戦争でリンツの町は深刻な燃料不足に陥っていました。それは1918年の冬の間続きました。すさまじい嵐も襲来し、プリール・ゲビルゲの丘陵地帯(複数)には材木がたくさん集まっていました。

しかし、そこには運搬用の動物もいません。戦争で動物たちも持っていかれてしまったのです。材木を運ぶ大きな水路などありません。

シャウベルガーは単なる若い森林監視員でしたが、燃料の問題を解決するために町の行政官に進言しました。行政官も同意してくれました。

林業専門家は、この地域の流れでは丸太を流すことなどできるはずがないと考えていました。しかしシャウベルガーはその流れを使おうと思ったのです。峡谷を通って流れる小流でしたが、次のように述べています。

「雪解けで増した水位と泥の岸（複数）の関係を調べてみた。すると、晴れて冷え込んだ夜、水温が下がると、部分的にその岸が消失することがわかった。そこで水流の強さを調べてみた。

最も強くなるのは早朝の冷え込む時間だが、それは特に満月が最高だ。そのとき水は収縮して水量がはっきり減って見える（訳注：水の密度が増す、つまりギュッと小さくなるときなのだろうか）。しかし水流は最も強くなる。

そして、まさにそのとき、水中に材木を並べてみると、１６００㎥の材木が、谷に一時的に作られた池へとすべてが一晩で運ばれていったのだ」

また谷川の中のサケやマスの動きにも彼は関心を向けていました。大きなマスが強い流れの中でも静止していたのです（次頁の図と、第6章マスのタービンの項も参照）。

ヒレと尻尾で奇妙な動きをしていました。そうしなければ押し寄せてくる流れに向かって静止していられなかったでしょう。

また、驚いて逃げるとき、下流に進むのが自然であると思ったのが、流れに対抗して、稲妻のようにさっと上流へ泳いでいったのです。

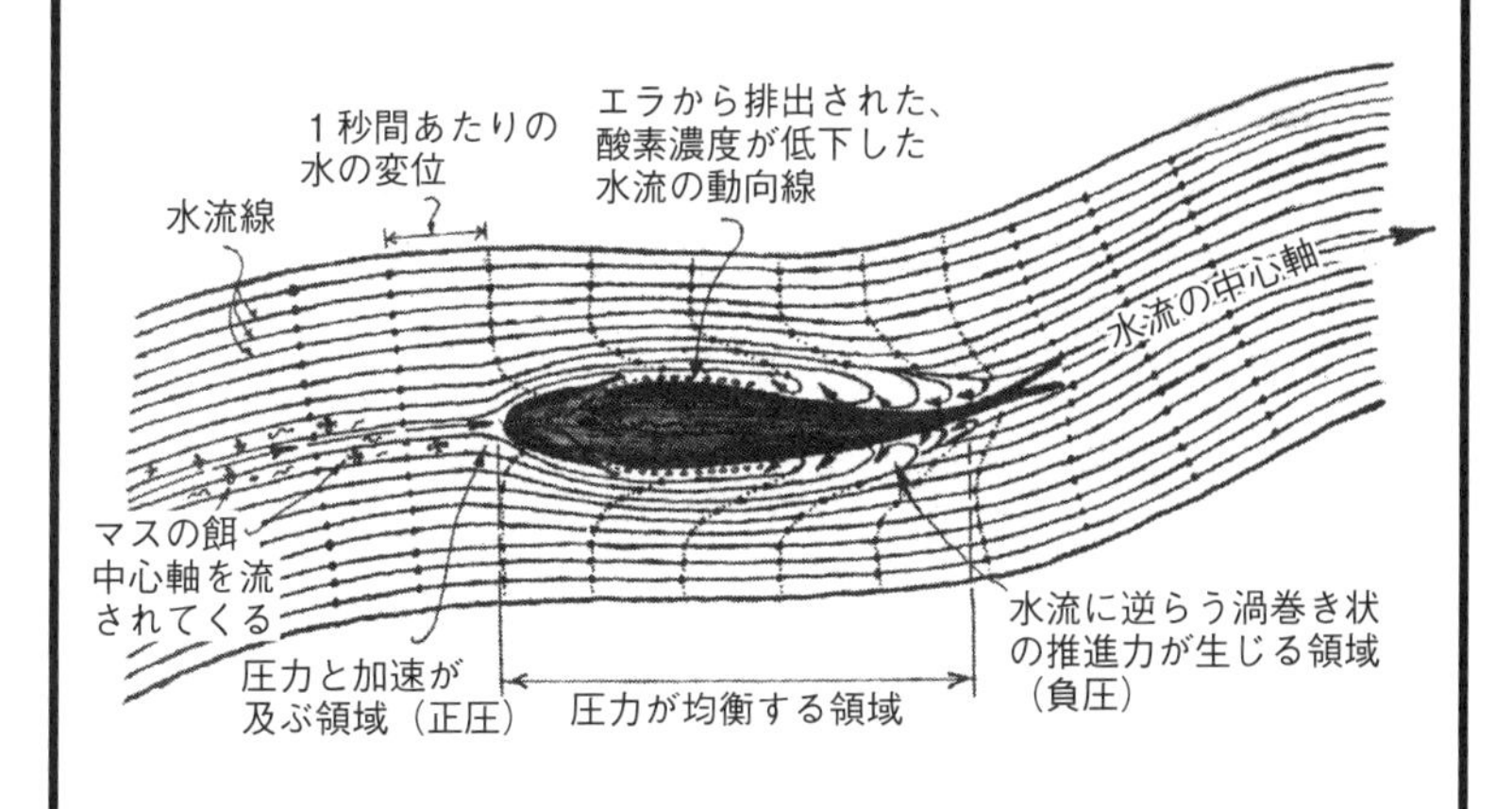

静止しているマスのメカニズム——（“LIVING ENERGIES” by Callum Coats, 超不都合な科学的真実［長寿の秘密／失われた古代文明］編より）

このようなマスの動きを研究した文献を探しました。しかし、そんなものはありません。そこで彼は考えました。まず、谷川はその源流近くで最も冷たく、離れるにつれて温かくなっています。これは流れに抗して逃げるマスの奮闘と関係あるのでしょうか？

それを調べるために実験してみました。観測点として、大きなマスが流れの中で好んで立ち止まろうとする急流の直線コースを選びました。

約100ℓの水を温めるために森林監視員たちを組織し、500m上流のところで溜めておき、合図によって流してもらいました。毎秒数㎥もの大きな水量です。

川全体の温度を上げるには100ℓの温かい水でもわずかなものです。ところが、それだけの温かい水が増量しただけでも、それまで静止していたマスがじたばたし始めたのです。

尾を曲げ、ヒレを力強く動かして自分のいる位置を維持しようともがきました。しかし努力もむなしく下流へと流され、見えなくなりました。かなり後になって、ようやくもとの位置へ戻ってきたのを確認したのです。

シャウベルガーは自分の考えが正しかったと確信しました。水温とマスの動作との間には本当に関係があったのです。

さらにシャウベルガーは、マスがほとんど努力せずに高い滝を昇る能力についても調べました。この件を通して、マスは水の中の未知のエネルギーを利用するという証拠をつかみました。その観察記録を残しています。

「それは初春、夜、月明かりの産卵時だった。危険な密猟者を取り締まるために滝の脇に座っていたときのことだ。

やがて、ほとんど理解できないほど速く事件は過ぎていった。それは次のようなことだった。

月の光が澄んだ水に降り注いでおり、ものすごい数の魚が集まり動いていることがわかる。

突然、マスたちが四散したではないか。なんと、下から滝に向かって泳ぎ昇る特別大きなマスが出現したのだ。

それは他のマスたちを悩ませているように思えるほどのものだった。そしてうねる水の中で大きく身体をねじって踊っているように見えた。素早く揺れ動いているようにも見えた。

すると突然、その大きなマスは、キラキラと金属粉のように輝く滝の中へと消えていった。一瞬、底を上にした小さな円錐形のようなものが見えた（訳注：漏斗状に水が下へと吸い込まれる形）。それが水によって形成されたものか、激しく渦を巻く流れの中で踊るマスによるものかわからなかった。

やがてマスは、この渦巻く流れの中から、ふっと浮き上がってきた。そして滝の低い部分で宙返りをして滝の上方の曲線部分へ行くや、その中へと強力に自分の身体を一押ししたのだった。そして急流の中で力強く尾を動かし、見えなくなった。

私はパイプに煙草をつめ、さっきのことを思い出しながら家路へついた。気付けば、煙草は吸い終えていた。

その後もたびたび、高い滝を跳躍する同じようなマスの動きを目撃した。

数十年してやっと、首飾りの真珠がつながるように、ようやく結論に達し始めた。しかし、この現象を説明できる科学者はいないだろう」

「自然の流水路は自然な動きなら受け入れてくれる。そこで、水とは逆方向に向かうエネルギーでも増強してくれるのだ」とシャウベルガーは述べています。

マスが使っていたのはこのエネルギーです。最適な条件の滝では、このエネルギー流が、水流の中を逆進する光のように顕著になるのです。マスはこのエネルギー流を探し求めるだけであり、つむじ風の中のように吸い上げられていくのです。

人の手の入っていない水流でのこういった独特の動きは、マスだけに限ったものではありません。ある澄み渡った晩冬の夜、明るい月明かりの中、彼は急流の中にできた淀みを見ていました。

その淀みは水深が数mもありましたが、とても澄んでいたので底まで見えました。底にはいろいろな石が集まっており、人の頭ほどのものもありました。すると驚くべきことが起きたのです。いくつかの石があちこち動いているではありませんか。それも相手を引っ張ってぶつかり合ったり、電荷を持っているかのように反発し合ったりしているのです。次のように記録しています。

「鋭い観察力を持つ自分の目でもそれを疑った。頭くらいの大きさの石が、滝を跳躍するマスと同じように旋回上昇し始めたのだ。石は卵型だった。

他の場所では、氷の周囲にある石が、満月に照らされながら水面に浮いていた。

1秒後、3秒後、石たちが続々と浮き上がってきた。やがて、同じような卵型の石すべてが表面に揃った。他の形や尖った石は下に止まって動かない。

独特な動き、意味を持って同時に生じた現象に唖然(あぜん)としてしまった。これこそ重力を克服して水面へと上がるのに必要な石の形だったのだ」

シャウベルガーは後に「この踊る石」のどれもが金属を含んでいたと述べています。原生林での目撃体験から、彼は「運動」について熟考することになります。

「いったい『運動』とは何なのか？」と自問しました。「運動には我々がこれまで知らなかったまったく異なるタイプのものがあるのだろうか？　科学では未知の運動があるのだろうか？」

熟考と観察から、運動に関するまったく異なる理論が徐々に練られていきました。彼はこの理論を提案したい気持ちでいっぱいでした。技術者や科学者と話したかったのです。でも、どうやって新しい発見を紹介すればよいのでしょう？

水の不可思議な推進原理を利用して巨大な丸太群を運搬する

アドルフ・ツー・シャウムブクク＝リッペ王子は問題をかかえていました。戦争、インフレ、戦後の転換期、そして若くて金のかかる妻。高齢の王子は減少する財務債券をどうしたらよいか頭を悩ませていました。

彼は森林地帯をフルに開拓してきました。残っているのは、王子が自分の不運を嘆きながら、あてもなくさまよったあの地域。そう、シャウベルガーの地域だけでした。ここには熟成した巨木の材木置き場がありました。しかし輸送には具合の悪いところで、輸送費用で利益すべてが消えてしまうほどでした。

そこでアドルフ王子は、この問題を最もうまく解決するコンテストを開きました。それでベルネラウ地域の凍結資産が解放されるはずです。

森林技術者、水文学に熟達した地質学者、その他の専門家からさまざまな提案が出ました。しかしどれにも王子は興味がわきませんでした。

競技委員会は、準備段階で跳ね除けたものがまだあると言いました。若い森林監視員が生意気にも専門家と争うために、おまけにもっとよくないことには、悪い冗談のような、まったくの空想物語のような案を出していたのです。

委員会は、競技を真剣に受け止めていないと厳しく非難してそれを突っ撥ねたのでした。

運命はうまく進みませんでした。競技会が不成功となり、アドルフ王子はますます大きな金額が必要となってしまったのです。おまけに、年に一度、若い王女がモンテ・カルロを訪問する日が近付いていました。

王女は、若い森林監視員のシャウベルガーとともに彼の地区に鹿狩りに来ていました。狩りの間、彼女はシャウベルガーに、王子がまもなくこの土地を去らねばならないことを打ち明けました。

その会話でシャウベルガーの競技会へのエントリー、つまり委員会をとても怒らせていたものが好転しました。彼は王女に提案しました。すると王女は、運送するのに経費はどのくらい抑えられるか尋ねてきました。シャウベルガーは次のように答えました。「製材所まで運ぶには、これまで1㎥あたりおそらく12シリングかかっていたはずです。しかし、はるかに安く、施設の建設のために1シリングといくらかの経費だけで十分です」。

王女はシャウベルガーの案を試してみるように夫を説得しました。しかしその建設には王子の蓄えが必要であり、失敗すれば王子はそれを弁済しなければなりません。

そこでシャウベルガーは多くの障害を乗り越え、支援してくれる実業家を見つけてきました。そして、ついに建設が始まったのです。

シャウベルガーの案は材木を浮かせて輸送するというもので、同様の提案がすでに専門家たちからなされていたのです。当然、建設が進むにつれて批判が高まってきました。ところが、建設されたものを見て人々は驚きました。それは皆が思っていたものとはるかに違うものでした。今まで誰もそのような建築物を見た者はいなかったのです。

シャウベルガーは木製の滑降斜面路を作りました。長さは50㎞に及ぶものです。それだけで十分でした。しかしこれまでと違うのは、この特別な滑降斜面路が通常では考えられないルートをとっていたことです。つまり、まっすぐではなかったのです。最短ルートを進むのではなく、谷の斜面や峡谷と並んでジグザグになっていたのです。

すべてがばかげており、この明らかにおかしな、しかしなぜか知恵のありそうな森林監視員は、今や滑降斜面路に水を流そうと、ルート沿いの水路や小川から新鮮な水を補充していました。「まず、冷たい水で満たさねばなりません。そうしないと、たくさんの丸太が滑降斜面路に浮かばないのです」と彼は言いました。冷たい水なんて！　そんなおかしなことなどこれまで誰が聞いたことがあるでしょう。水は水でしかありません。でも彼はこれを主張したのです。誰もが結果を予測できました。そんな滑降斜面路に浮かばせることなどできるはずがないのです。

泳ぐヤマカガシ。その身体の形、動き、そしてくねる動作はすべてが融合して一体になっている。
（写真：W・ローディッヒ）

この意地の悪い憶測は外れました。もっとも、シャウベルガーが次に述べているように、初めはうまくいきませんでした。

「約4カ月で建設が完了した。大きな梁（はり）は適所に配置されている。

ある日、簡単な実験をしてみた。平均的な重さの丸太を1本入れてみたときのことだった。それはみごとに浮かび、約100m先まで滑り降りていった。しかし、そこで突然底にぶつかってしまった。後から来た水が丸太を持ち上げ、水が斜面路側面を越えてあふれ出てしまった。

労働者たちは軽蔑した顔で見ている。ミスで私はあたふたしている。

丸太を斜面路から上げて取ってもらった。水量があまりにも少なく、水路の狭さも原因しているようだった。どうしたらよいか途方にくれたが、同僚には帰ってもらい、落ち着いて考えることにした。

斜面路の曲がり具合は正しかった。それは間違っていない。では何が間違っていたのか？　ゆっくりと斜面路に沿って歩き、堰き止め、選別するためのいくつかの貯水ダムを見た。それは長い斜面路につながっているのだが、それぞれ水でいっぱいになっていた。暖かな日差しの下、水から顔を出している岩に腰掛けた。

突然、何かが革のズボンの下で動いた。飛び退くと、とぐろを巻いた蛇がいるではないか。あわててヘビを遠くへ放り投げた。ヘビは貯水ダムに落ち、乾いた地面へ上がろうと急いで泳いでいく。

しかし岸の傾斜が急だったのでうまく上がれない。そこでこちらへ泳いできた。ヒレもないヘビが、どうして矢のように速く泳げるのだろうと不思議になった。双眼鏡で見ると、澄んだ水の中で身体を奇妙にくねらせていることがわかる。とうとうヘビはこちらの岸に到達した。水平・垂直方向にどう動いたのか、しばらくヘビの運動を思い返していた」

このヘビの動きから、シャウベルガーは滑降斜面路の解決策を見出しました。いくつかの長さの材木が必要となり、労働者を製材所に送りました。

たくさんの小槌の音が夜になっても聞こえていました。水をヘビのような動きにかき混ぜるために、材木を斜面路のカーブに釘付けしていったのです。

ほとんど時間はありません。翌日は開通式典が開かれます。シャウベルガーが真夜中過ぎに宿舎に戻ってみると、手紙がありました。明日の朝10時に王子と王女、材木輸送計画の最高責任者、また他の高官たちが実演を見るために出席する予定であると主席森林監視員からの連絡です。夜通し仕事は続けられましたが、試運転をする時間などありません。あとはうまくいくように願うだけです。シャウベルガーはこの続きを書いています。

「貯水ダムの水を流すところで皆を待つことにした。王子と王女の後には最も手ごわい反対者である専門家、技術者たちが続いている。皇族と主席森林監視員に挨拶はしたが、他の者たちは無視していた。王子は不安気に私を見ていた。しかし、浮いている丸太群に責任のある『営林署長』は、柱に寄りかかって極上の笑みを浮かべているではないか。

作業員たちは水に浮かぶ小さな丸太群を集めていた。その背後で、私は貯水ダムのロックを外した。

まず、太さ約90㎝もある相当重い丸太を苦労して台に運んだ。

『だめだ、だめだ。そんなに重い丸太を運ぶことなどできない！』と年配の丸太係長が叫んだ。

しかし私はそんなことにはお構いなく、速く流れる水の波にそれを乗せた。丸太は流れに沿ってゆっくり浮かび上がった。しかし水位が増してしまった。ここで滑降斜面路の水があふれるはずだ。

高々と浮き上がった丸太に誰もが息を呑んで見ている。

すると、突然ゴロゴロという音が聞こえてきた。重い丸太は右へ左へと微妙に揺さぶられながらヘビのようにうねり始めた。そして頭が水よりも高く出たかと思う間もなく、矢のように速く進み始めたのだ。数秒後には最初の緩やかなカーブを越えて見えなくなった」

完璧な成功でした。王子はシャウベルガーに感謝して、広範囲の森と狩りの領地すべての主席長官に任命しました。ヨーロッパ中から専門家がその建造物を学びに来ました。

この並外れた森の住人のことが林業界全体に山火事のように広まりました。そしてすぐにウィーン政府にも到達したのです。

画期的な運搬技術の成功に対する妬み・恨みの大きな逆風

すぐに連邦首相のブッキンガーから、国の材木浮揚輸送施設コンサルタントになってほしいという要請がありました。シャウベルガーはそれを受け入れると、同じところで働く学者たちの2倍の給料をもらうことになりました。それも、インフレの時代にあって非常に価値のある金(きん)で支払われたのです。

最も近い上役と親交を深めていきました。チロル地方のセイラー大臣です。しかしその反面、シャウベルガーと関わりのある林業専門家たちとは、ますますぎくしゃくするようになっていきました。

学者たちは特にいらいらしていました。というのは、この「新参者」が彼らの専門とする分野へ指示を出す役になったからです。それは本来なら彼の低い教育レベルからいってできないことでした。また学者でもなく何の権威もない者が給料をもらっていたことも不満のもととなりました。そのうえ、シャウベルガーの施設を真似しようとしてもできないために、当然、恨みが増していきました。

ライクスラミンクで、シュタイエルリンクと同じものを建設することになったとき、人々はシャウベルガーの指示を受けずに作業を始めてしまいました。しかし詳細に真似て作ったにもかかわらず、丸太は滑降斜面路の底に横たわったままでした。

彼らはプライドを抑えてシャウベルガーを呼びました。シャウベルガーがそれを部分的に作り直したところ、まったく完璧に機能しました。彼の監督の下で、タシュルシュルヒトとミュルツタールにもそれが作られました。

シャウベルガーの上役の大臣は彼を羨む者ではなく、満足していました。しかし、ザルツブルグ林業専門家会議が開かれたときのことです。共和国の給与水準に関する問題で、シャウベルガーの地位に対する意見が出ました。ブッキンガー首相は十字砲火に包まれたようになり、とうとうシャウベルガーを呼びました。

「政府は君の働きには満足している。しかし、これ以上過度な給料を払い続けることができなくなってしまった。その給料の半分で、大臣のいわゆる『黒字資金』を得るようにしなければならない」

シャウベルガーは激怒しました。こんな後ろめたい取引に関係することなどまっぴらでした。自分の国が年配の女中たちではなく、使用人たちに支配されたと思いました（訳注：自分で取り仕切る者たちではなく、言うなりに動かされるだけの者たちばかりになってしまったという意味）。それでとうとう辞表を出したのです。

シャウベルガーが失業する必要などありません。オーストリアで大きな建設業者の長だったシュタインハルトが官邸事務局のドアの外で待っていました。そこで新たなポジションを申し出てきたのです。なんと、ヨーロッパ全体に丸太の人工水路を建設する仕事でした。彼はシュタインハルトの申し出を受けました。

ヨーロッパ各国に広がった驚異的な水の技術

シュタインハルトはノイベルクでの大きな施設の契約を政府から受けました。これは1928年に作られ、契約書には、初期段階で1000㎥の丸太輸送を可能にしなければならないと書いてありました。これができれば、シュタインハルトは政府から100万シリング受け取るはずであり、できなければ自己負担で施設すべてを取り除かねばなりません。

滑降斜面路は初期段階で1400㎥輸送でき、シュタインハルトは100万シリング受け取れました。開通式典で国は施設を受け取り、シュタインハルトはシャウベルガーを称え、刻印された金時計を贈呈しました。

政府の記録には「驚異的な技術」と記され、この丸太用人工水路は森林が枯渇してきた1951

年まで稼働し、その後すべて取り除かれました。

この「驚異的な技術」を記録したフィルムはただ一本だけです。「水を使った運搬」、それは1930年頃にオーストリア観光委員会が依頼したものです。フィルムは第二次世界大戦中、行方不明になっていましたが、1961年に東ベルリンの記録保管庫で発見されました。

西ドイツとスウェーデンの生物工学関連組織のために写しが取られました。オリジナルフィルムは部分的に見えなくなっており、見える部分でも擦り切れてダメージを受けていました。それでも最高のドキュメンタリー映像に変わりありません。建設当時は専門家の意見が打破され、激しい議論が巻き起こりました。権威者たちが彼に対立しながらも調査をした材木浮揚輸送施設がそこに写っているのです。


その後数年間、シャウベルガーはシュタインハルトに雇われ、オーストリアだけではなくトルコや他の国々で小型の同じようなものを作っていきました。そしてどれも完璧でした。水を使った滑降斜面路に関するチェコスロバキア政府との契約がなされる1934年まで彼らは働き続けました。

しかし、あるときシュタインハルトは支払いに関する契約条項を操作しようとしました。それが発覚し、合意は無効になってしまいました。シャウベルガーは彼のやり方を批判し、シュタインハルトと対立状態になって別れました。これがシャウベルガーの丸太運搬水路との別れでもありました。

ノイベルクの丸太運搬水路

後に、ドイツに契約を持ち寄りましたが、第二次世界大戦前での建設は不可能でした。

シュタインハルトと過ごした期間は、シャウベルガーにとってかなり前進できたときでした。それとともに、学問の世界にいる老獪（ろうかい）な敵たちと戦い続けた期間でもありました。

シュタインハルトは優秀な技術者や建築家をたくさん雇っていました。しかし雇われた人々は、シャウベルガーの影響力が強くなってきたことに恨みを増していきました。

それでいつも上司（シュタインハルト）に「この『無知な好事家（こうずか）』の実験に従っていたら、いつか台無しにされる」と警告していました。

しかしシュタインハルトはシャウベルガーをずっと信頼し続けました。もちろん多くの場面で金銭的には危機的状況でしたが、彼は信頼し続けたのです。

アルキメデスの法則を超越する「サイクロイド螺旋運動」

ここで、シャウベルガーの発想の原点を明らかにしておきましょう。

「父親が何十万㎥ものブナの木を、はるかな距離、運搬したことは知っていた。それは日中だけではなく、月の輝く夜にも行っていたのだ。その理由を、父はよく説明してくれたが、太陽光線にさらされているとき、水は疲弊し、かったるくなって寝ているというのだ。しかし、夜、特に満月のとき、水は新鮮で生き生きとしており、ブナの木や銀モミの木を運ぶことができるというのだ。実際、重い丸太を水が支えたそうである」

シャウベルガーの家族には、彼が材木浮揚と呼ぶ伝統技術が伝わっていました。

「この森林地帯に作られていた変わった仕掛けは、高水位になるとよく被害を受けていたようだ(訳注：水を大量に使う必要のない仕掛けだったため)。その仕掛けは、水の流れを、時計回りか反時計回りに、ヘビが動くようなまったく奇妙な螺旋状の流れにしていた。その『サイクロイド螺旋運動』について、そこの森林監視員たちが理解していなくても、木材と水の働きをとてもうまく利用していた。

それは滑降斜面路のカーブで生じる、材木と水との間の不思議な相互作用のことだ。それによって重力に挑戦するかのように、いくつかの材木が突然上流方向へ浮かび上がる現象を引き起こすことさえある」

こうしてシャウベルガーは、すでに山岳地帯の狭い水路で、もとになるアイデアを使っていたわけです。しかしその後の洗練された伐採用水路ができあがるまでには長い道のりがありました。

また彼は、その水路を建設する際、ショックを受けています。

「家畜を使って山岳地帯を輸送すると、家畜がとても疲弊する。そのような残酷な場面を見てきた人たちは、馬を使わずに高いところから材木を運ぶ方法がないかと、一生懸命模索しただろう。しかし、林道を作る費用よりも、材木へ与えるダメージのほうがはるかに費用はかかるという理由で（訳注：流すことで材木が傷み価値が下がるため）、水で材木を運ぶ計画がつねに却下されていた。

また、アルキメデスの法則をいつも相手方は引用した。大きなブナの丸太は水より重くて浮かばないだろうというのだ。それで私の案はまったくの理想でしかないと思われていた」

通常、山岳地帯で浮いている材木は切り出したままの荒い状態ではあったものの、いつでも取引のできるものでした。しかし材木を運ぶためには、上にある森と谷底との高低差がありすぎました。水を流す施設は、ほとんどが狭い谷の間を流れる谷川を利用していたので、重い材木を運ぶ流量ではありませんでした。そこで、所々を堰き止めて、丸太が転げるように、小さな貯水ダムを作っていたのです。

それからそのダムのゲートを開いて水に材木を乗せて次の貯水ダムへ送りました。それが繰り返し行われていくのです。

材木は水であちこち放り投げられるように下っていくので、岩や硬い斜面にぶつかってはばらばらになっていきました。また、水の流れる水路もダメージを受けました。

そのため、この輸送方法は不経済であるばかりではなく、環境にも良くないと思われていました。重い丸太を長い距離運ぶためには大量の水が必要であり、従来の滑降斜面路ではできないと思われるようになっていたのです。

シャウベルガーが自説を証明するために新タイプの用水路を作ろうと決めたとき、問題となったのは、わずかな水量で最大の運送成果をあげられるかどうかでした。

彼の水文学への研究は、父親の直観を立証することになりました。つまり、問題を解く鍵は適切な温度の水とその動きに関係があったのです。

これは簡単なことではありませんでしたが、このときの研究で、材木浮揚輸送施設に関する特許をいくつか取っています。

最終的に彼は次のような建設を始めました。

木製の滑降斜面路の断面は、卵の一番広い部分の曲面と同じ割合で作られました。それはかなり狭いもので、幅約1・5m、高さ約0・9mというものです。

最大の丸太はその広さにちょうど収まりました（それだけ大きな木はまだ当時存在していたので

す）。それでは水の通るわずかな余地さえないほどでした。

一定間隔で新鮮な水を入れる「混合」所が作られました。入念に水の温度を測り、斜面路の水が温かくなる時間になると、サイフォンで吸い上げられた冷たく新鮮な水を、彼の考案した独特な弁を使って混ぜ合わせるのでした。これで斜面路に必要な水温にしていました。

斜面路は、いくら長いルートになろうとも川の流れに沿って曲がりくねっていました。最適な水温、斜面路の正しい形状も大切でしたが、結局は曲がりくねっているルートに頼っていました。それによって必要な水の動きを得たのです。シャウベルガーは次のように述べています。

「水、それが自然な状態であれば、どう流れたいか教えてくれる。その希望をかなえてあげねばならないのだ」

ここで彼は、人生を通じて従う道標になったと思われる原理に辿り着きました。

「まず自然を理解する。それからそれを真似よ」

彼は、自然は私たちの最も重要な教師であると述べています。技術的な仕事とは、自然をいじらないこと。それを模倣することなのです。

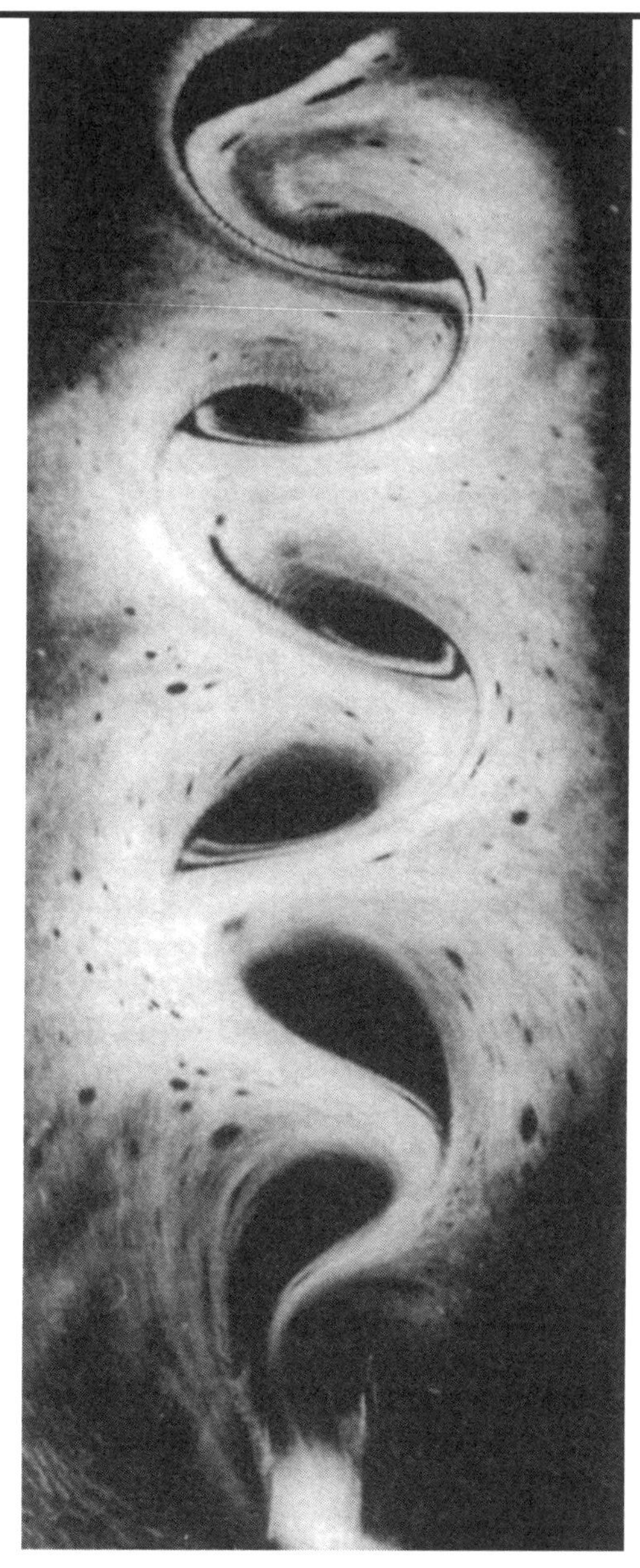

水の攪乱形状。浅いトレーに入れたグリセリン処理の水に、細いブラシでさっと直線を引くように撫でたもの。表面には粉をまいてある。（シュヴェンク・メソッド、写真：A・J・ウィルカース）

しかし、こういったことすべてが水文学者や技術者たちにはまったくばかげているとしか受け取ってもらえませんでした。

彼らにとっては最短コースが最善であり、ましてや10分の1度の温度差でも水の動きに重要な違いが出るというシャウベルガーの安っぽい主張は物笑いの種でした。

多くの人が、有名な水文学者のシェイフェルナク教授に賛同していました。

「このシャウベルガーの話はナンセンスだ。大きく違わない限り水にとって温度などさして重大なことではないと誰もがわかっている」

シャウベルガーが「人の体温が10分の1度違うだけで健康になったり病気になったりする」と言えば「血液と水の類似点を引用するなど、彼はおかしいのだ」とますます強硬な態度になりました。

シャウベルガーとその理論に、専門家はほとんど関心を寄せていなかったのです。それで彼の丸太用水路は理解されないまま取り残されました。ところが、実際に施設を目の当たりにした人々は、嘲り（あざけり）笑っていた「賢明で学識ある」人たちにない何かを彼は知っていたに違いないと気付き、この用水路をなおざりにはできないのです。

アルキメデスの法則がなぜ通用しないのか。なぜ水よりもはるかに密度の濃い材木、いや石だって、この滑降斜面路をコルクのように浮いていったのか。見ている人はどうしても考えてしまうのです。

ジレンマは解消されねばなりません。ノイベルクの材木浮揚建造物を徹底的に調査するために国の委員会ができました。国際的に認められていた水文学者のフォルヒハイマーが委員会の長になりました。

人間の思い込みを覆す水流と水の温度変化の謎

フォルヒハイマーはいつものように熱意をもってプロジェクトに取り組みました。斜面路を研究し、その形や曲がり具合を数学的に分析し、水の動きと温度の図表を作り上げては考えました。

この件のために、専門家に受け入れられている水やその動きに関するできる限りの知識を駆使したのです。しかし、わかりませんでした。不思議な斜面路がどうしてそのように作られたのか説明できないのです。

そこで、戦術を変えることにしました。シャウベルガーの影を追い求めているだけでは、だめなことに気付きました。それよりも、彼が建設し実験しているところはどこにでも、いつも質問をしながらついていったのです。

初めのうちは短くて無愛想な答えしかもらえず、フォルヒハイマーには理解できないことが多々ありました。それでも彼は落胆せずに観察し続けたのです。

しばらくしてシャウベルガーは、これまで会ってきた科学者たちとフォルヒハイマーが違うことに気付きました。彼は嘲笑的でも高慢でもなく、理解できないことに出会うとますます関心を寄せるのです。

シャウベルガーは、自分のしたいことよりも、この人物に関心を抱くようになっていきました。そして互いに深い友情を築きあげていったのです。

彼らは森や小さな谷をあてもなくさまよい歩き、シャウベルガーは自分が長い間学んできた自然現象を見せたのでした。

最初の二人の小旅行を目撃した者がいます。二人は谷川のそばで立ちながら議論に没頭していました。突然、シャウベルガーが尋ねました。

「教授は、石の周囲のどこの水が最も冷たいかわかりますか？」

そして彼は小川の水面に突き出た石を指さしました。それは特別な形状にすり減っていました。

「間違いなく、石の上流側が、水が最も冷たいはずだ」とフォルヒハイマーは答え、石を摩擦することで水温が高まることについて説明し始めました。

「違います」とシャウベルガーは言いました。

「この石の下流側のほうが水は冷たいのです」

両者の主張が続きました。フォルヒハイマーは、川岸の砂をもとに「水流と温度の変化」を説明しました。しばらくしてシャウベルガーが言いました。

「どちらが正しいか、水の温度を測ればはっきりするじゃないか」

彼は革の半ズボンでした。やおら温度計を持ち、大またで水の中に入っていったのです。温度を測り、勝ち誇ったように、いらいらしている教授に言ったのでした。石の下流側の水は上流より10分の2度低かったのです。フォルヒハイマーは我慢しきれなくなって叫びました。

「そんなことは絶対にありえない！　計測の仕方を間違えたんだ！　私がちゃんと測ってあげよう！」

苦労して靴を脱ぎ、上品なズボン、赤いパンタロン（訳注：19世紀の男性用ズボン）を折り返し、思い切って水に入っていきました。そのとき彼は72歳でしたから、思い切ったものです。

温度計をつかみとり、測定し始めました。それから黙ってしまいました。

自分が冷たい水の中に素足で立っていることさえ忘れていました。

それから驚いて叫びました。「本当に、その通りだ」。深く考え込みながら、彼は岸に戻り、靴を履きなおしました。

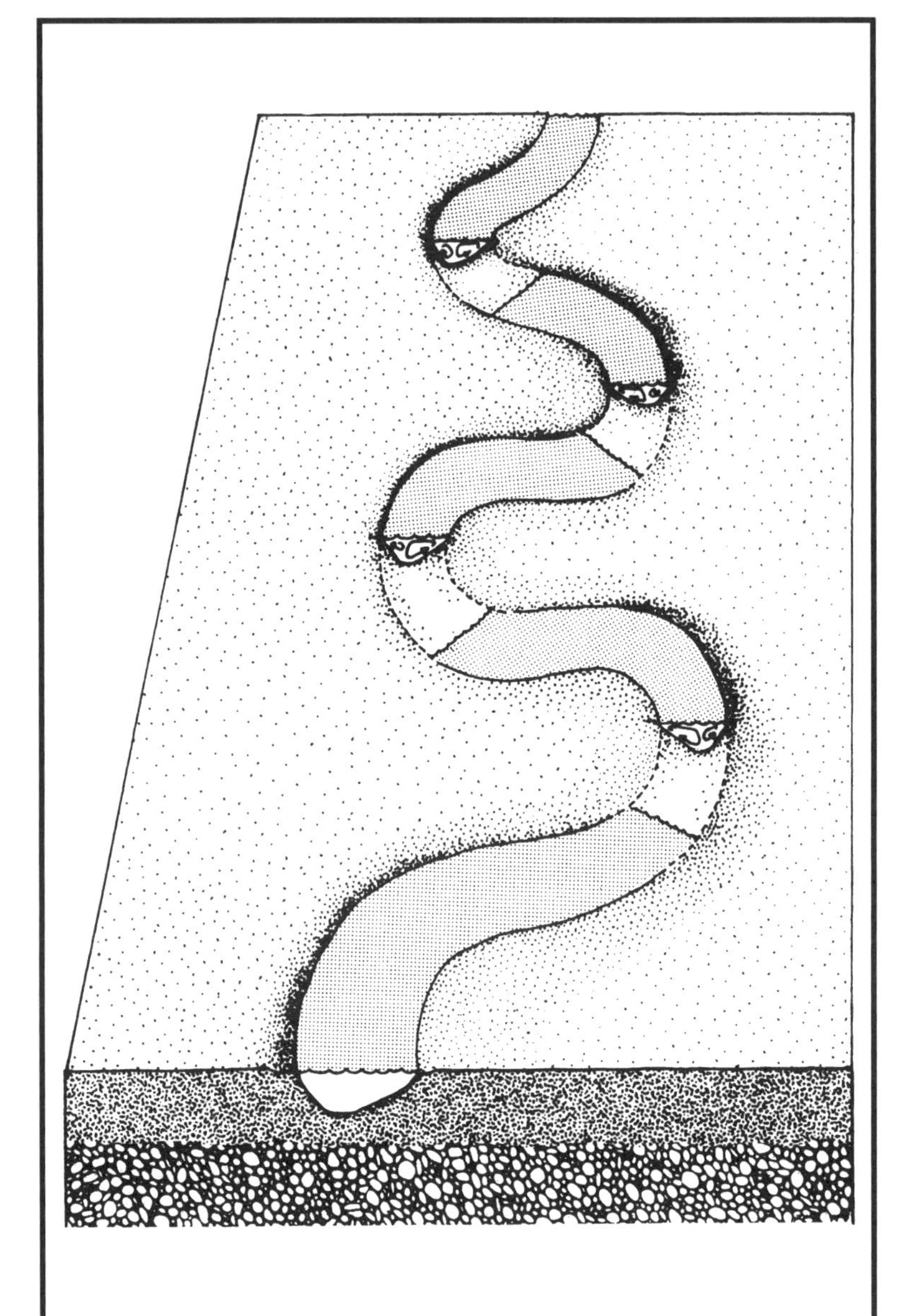

自然の川の様子。曲がりくねって進む川は、カーブのところから新たな流れへと変わっていく。初めのカーブの険しい岸（カーブ岸の点の集まり）では小さい流れだったものが、次の岸（次のカーブの点の集まり）で大きな流れになっていく（川の中にある三角形は砂の堆積ではなく、川底の形状を表している）。

シャウベルガーの理論と謎めいた言葉についていくのは困難を極めました。しかし、その日から、頑固で、短気で、風変りな研究者が本当の事実を扱っているということに、フォルヒハイマーは確信を持つようになったのです。

第2章

生きた生命体の水が集まった川をコントロールする革新技術

水は世界を平和に導く鍵となる生きた生命体

シャウベルガーの心をとらえたものは丸太用水路だけではありません。彼の関心は林業、農業、エネルギーなど幅広く、しかし、そのどれにも水が考えの基礎になっていました。そして、ヨーロッパだけではなく世界の経済や社会、政治が安定するためには、水、森、土壌を考えた新しい指針が出てこなければならないという確信を強めていきました。

水は無生物のように無頓着に処理されるものではないということを科学者は知るべきです。それは単なるH_2Oではなく、また破滅的な被害を及ぼすものでもありません。人類から尊重されるべき、それ自身の法則に従う生きた生命体です。

彼には、あまり手の入っていない環境で自然の相互関係を学ぶ機会が多くありました。そこで、人が自然の調和を乱したときに生じる危険な変化をたくさん見てきたのです。

森林伐採が行われた地域でも、動物や植物が生きるために必要な泉、そして水の流れの変化を観察しました。それを知るたびに、恐ろしくなっていったのです。

この森林開拓は、第一次世界大戦後のオーストリアでものすごい勢いで広がりました。国の経済が打撃を受け、森が最も容易な財源だったからです。しかし、過剰堆積、なだれ、地滑りが起こり、山から土を運び去っていきました。そこでは再び耕作をすることなどできなくなりました。山林の伐採規制、木が伐り倒されて生じる環境のダメージを規制する法案など誰も考えていませんでした。

山林伐採が行われると、まず水の流れるコースに変化が起きました。シャウベルガーはすでに泉と小川を詳細に調べており、どうすれば涸れずにすむか、あるいは、水流のほとばしりによってどのように水路が苔で覆われるのかを知っていました。また、水路の雑草がどうして上流を向いているのかもわかっていました。この現象は水のエネルギーに関連していたのです。

この雑草の「しっぽ」がもっと強力に上流を向いているときには、水路の温度と流れの特性がそれだけ良いということを表しています。そのような流れは、決して川底を傷めません。また大雨のときもあふれ出しはしません。

しかし、森林が伐採されると、それが一変します。水流が反抗して「暴れ」始めるのです。雑草や川床の植物は根こそぎ持っていかれます。やがて水はもはや水路を「きれい」にしていることができなくなり、砂利やヘドロを堆積していきます。それで水路が氾濫するのです。そして水は自身の水路を破壊し、岸を浸食しては破壊し、特に大雨や雪解けのときなどには周辺地域を危険にさらすことになります。

泉は干上がっていきます。樹木が大規模に取り払われた地域周辺の水位は下がっていきます。そしてついに小川はまったく消えてしまいます。しかし、特に激しく雨が降った後では住民や住まいが危険になります。そして、徐々に、このようにむき出しにされた地域周辺の田舎全体が乾いていくのです。

やがて、水路が破壊されるのではないかという懸念が高まりました。そこで、オーストリアや南ヨーロッパの河川、湖の水をコントロールする技術が必要になりました。

水路があふれて大惨事を引き起こさないために、石垣やコンクリートの堤防が作られていきました。この仕事は延々と続けられました。水が絶えず壁や堤防を壊そうとしているので、それをつねに保守しなければなりません。維持費は膨大です。逆に、石やセメント産業だけは大きな利益を得ていました。

1920年代末までに、シャウベルガーはすでにスピーチや記述の中で、森林破壊や、水をコントロールする既存の技術の問題点を述べています。

ここで、彼の浮揚滑降斜面路が山林伐採に貢献していたことを強調しておくのがよいでしょう。彼は、輸送費の軽減によって手取りを増やし、それ以上材木を切り出して収益を上げる必要がないようにしたかったのでしょう。斜面路は建造するが、それで森林を完全に取り払うのではなく、森林資源あっての「利益」だと指摘し続けていました。

しかしこの警告は無視されました。大きな材木会社がいろいろな所に出現しました。それは国の奨励でしたが、目的は一つでした。つまり、できるだけ早く木々を金に換えることです。これはスウェーデンでも森林伐採期間に起きました。未開発の森の樹木が斧で伐り倒されていったのです。ただ、スウェーデンでは、昔から行われていた森林伐採技術のおかげで、初期の伐採時と同様、積極的な伐採にはなりませんでした。

シャウベルガーは、このような森林伐採による破壊が増大することに気付きました。それは、凶暴になった水路を水文学者たちがコントロールしようとするからなのです。しかし、彼が名付けた「水の進路」では「流れる岸で調節してはだめで、流れそれ自身の中身を考えるべきだ」と言っているのです。

「水路に壁を作る試みは諦めるべきであり、自然な川の環境が再現されれば、川は自分を律するようになるものだ」と忠告しました。

シャウベルガーは、こういった問題にどうやって取り組むのかを早くから述べています。1929年「荒れ狂う水流と氾濫防止のための挿入施設」で特許を取りました。特許の文面は次のようになっています。

「本施設は、運ばれてきた砂利やヘドロが堆積する河川水の速度を低下し、危険な障害を防ぐものである。

さらに、適当な間隔で配置されたこのブレーキング障壁によって、水流の仮想軸は、水流の中央部へと向け直される」


1930年、彼は他にもそれと関連する特許を取っています。「ダムを維持し、その構造を強化するための排水調整器の構成と配置」です。特許文書では次のようになっています。

「初期のものでは重要な詳細が抜けていた。それは水のコントロールに関するもの、すなわち水温に関することだ。周囲の地温と気温、そして水中の温度差である」


水温と水の運動との相関関係は相変わらず認められていませんでした。ダムのコントロール・ゲートからは表面の水だけではなく、底の水も排出されます。そのことだけで、ダムから下流の曲がりくねった川岸は損害を受けてしまうのです。温かい表面の水と冷たい底の水とが混ざった温度で排水すべきではありません。そうならないように、気温と水温との関係を気にしながら排水するべきなのです。そうすれば川岸を傷めず、ゆっくりと堆積物を運ぶバランスの取れた川になります。

この特許は、主として排出バルブで空気の温度を調節することによって、温度を自動調節する機会

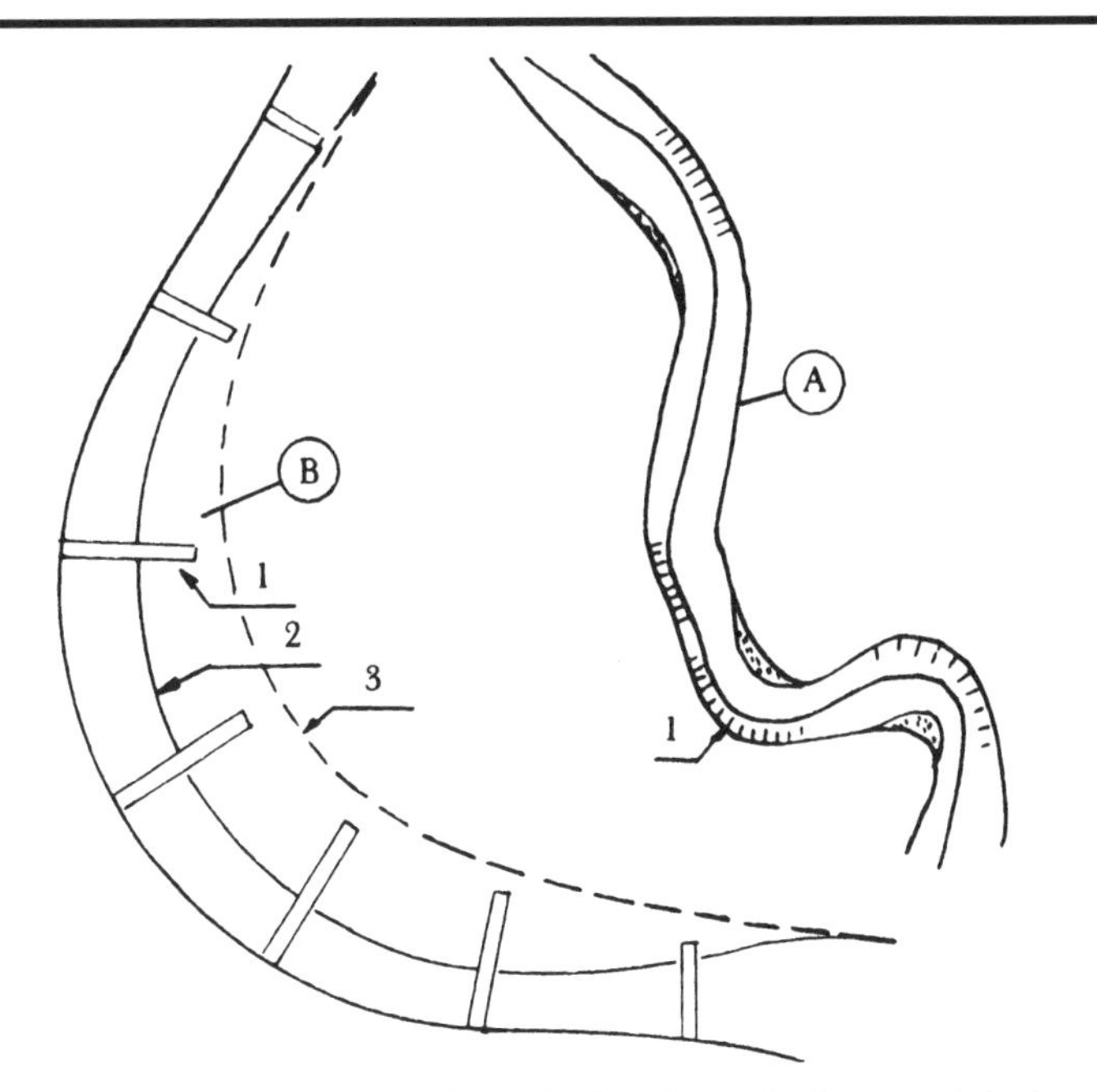

氾濫の防止案　(A) 調整された水路。(1) の川岸内側にブレーキ壁が作られた。(B) ブレーキ壁によって流れの軸線が (2) から (3) へと動く。

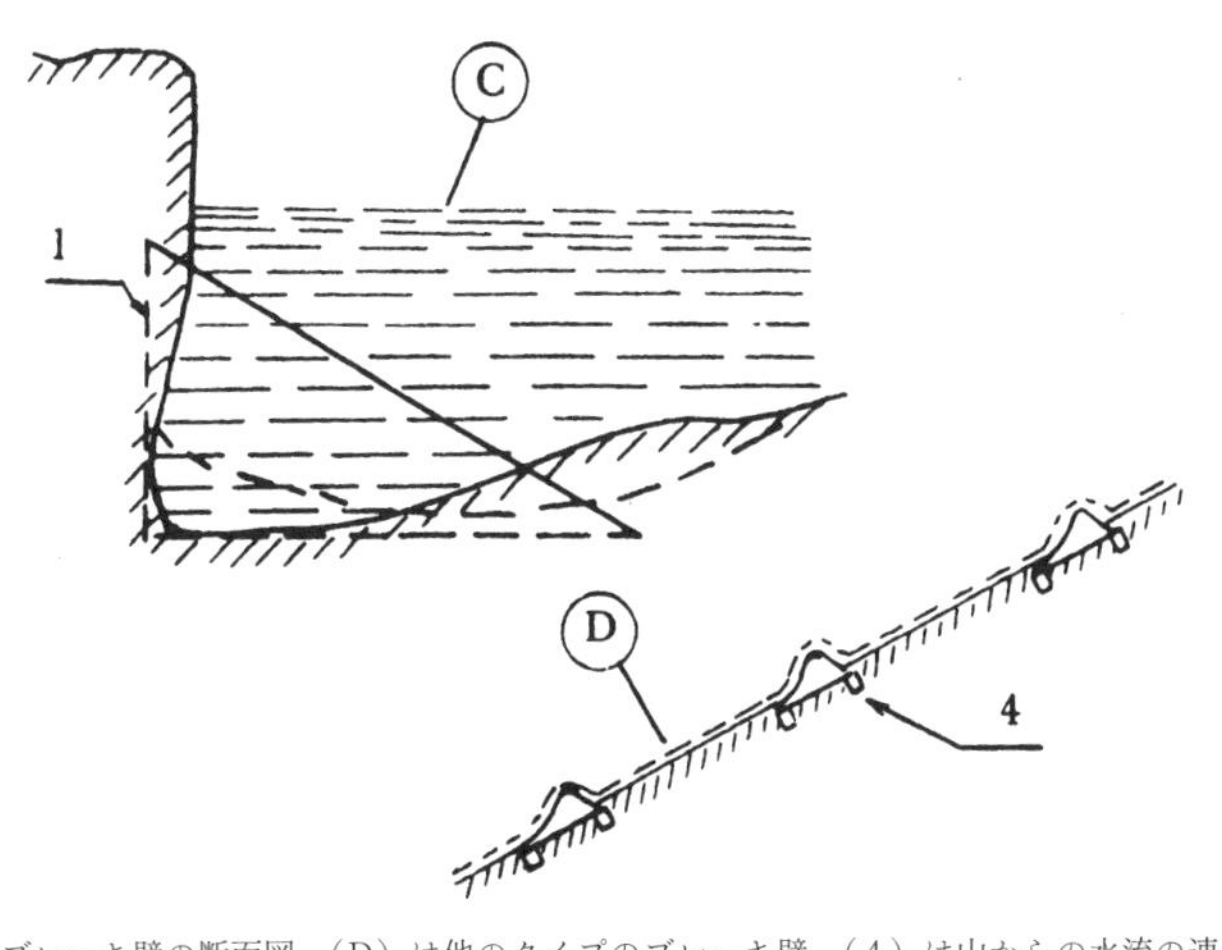

(C) はブレーキ壁の断面図。(D) は他のタイプのブレーキ壁。(4) は山からの水流の速度を落とすためのもの。これによって川床や川岸にある物質がさらわれていくのを防止する。(オーストリア特許11 34 87. 取得)

を与えることになります。

1930年代、シャウベルガーは、神秘的な法則に関してわかったことすべてを論文にしています。温度が水の振る舞いを支配しているということと、それで水がどう動くのかというものです。また、林業、農業、そして地域全体への水の大切さも論じています。彼は山林伐採によって引き起こされる恐ろしい結果を目撃しました。それは不自然な水流が回転運動することによって生じる悲惨なものでした。それでこうした解決策を与えたわけです。彼の研究が公表されたのは、その理論に深い関心を寄せたフォルヒハイマー教授のおかげでした。

水をどのように調節し、川床や川岸を傷めないようにするか

フォルヒハイマーの関心はとても高く、専門家たちの前で自説を展開してはどうかと言ってきました。フォルヒハイマーがいれば、会合でもこの「異教的な考え」をなんとか受け入れてもらえるでしょう。

フォルヒハイマーは、ウィーン農業大学の学術委員会をフォーラムの場に選びました。シャウベルガーは学長とそのスタッフを紹介されましたが、スタッフたちの恩着せがましく横柄な態度に彼

はいらいらしていました。学長は短い紹介をした後、シャウベルガーに「私たち専門家に、どうやって自然を使って水を調節し、それで川床や川岸を傷めなくなるのかを教授してくれる」ように頼みました。

シャウベルガーは、これは簡単に答えられることではないと言いました。それは学長も予想していました。そこで学長は、シャウベルガーの方法の核となるものを簡単に言ってほしいと強く要求しました。「わかりやすく、どうやって水路を調節すればよいのかということを」。

シャウベルガーはいらいらしてきました。そして一つ一つの言葉をはっきり強調するように話しました。「イノシシが水の中を渡っていくのと同じように」（訳注：水の現象を比喩的に表現したもの、後述される）。

「混乱、静寂、しかめ面」そんな反応でした。それでも学長は恩着せがましい口調で、慎重に言葉を選びながら説明するように促しました。

フォルヒハイマーは立ち上がり、シャウベルガーの最後の発言は的確であるだけではなく、実際に正しいと言いました。それから彼は黒板へと大股で歩いていき、それを数式で補いました。

学長は不機嫌でしたが、フォルヒハイマーは講義を始めました。

「私は彼が述べた言葉を理解してはいませんでしたが」と話し始めました。すると、そこに集まっていた人々、教授たち、技術者たち、そして学長さえもが関心を寄せ始めたのです。

それからディスカッションが2時間も続きました。学長が他のところに出席しなければならないので退席しただけです。学長はシャウベルガーに独特の調子で別れを告げ、またすぐに議論できるようになることを祈っていると付け加えました。


翌朝彼らが集まったとき、フォルヒハイマーはシャウベルガーに、どうやってイノシシとの類似を発見したのか尋ねました。

シャウベルガーは答えました。


「単に父親が作業員たちに、わずかな水で材木を運ぶための『速度が落ちる曲線路』をどう作ればよいか話していたのを覚えていただけです」


水流が低速になる曲線路は、流れの中心軸周囲に水が螺旋状の運動をするように作ります。それは逃げているイノシシがする尿が描く曲線に似ているのです。

フォルヒハイマーは、これは最も完璧な仮想サイクロイド螺旋曲線に違いないと思いましたが、これを数学的に計算するには、既存の科学では難しいだろうと思いました。

シャウベルガーは、すべての生命に見られるのと同じ運動を、水の運動ではっきりとらえていたのでしょう。

二人がこのことについて議論するとき、たびたび教授は「自分は数式でしか考えられない」と言いました。それに対してシャウベルガーは「私は他の誰もが理解できない方法で」考えていると言いました。それで二人は歩み寄ることができませんでした。

シャウベルガー理論によって世界が変わるときが来る

後にフォルヒハイマーはシャウベルガーに、定期刊行物の「水文経済誌」に自分の理論を出してはどうかと提案しました。そのためにはまず、二人でブルンへ行き、ショックリッツ教授とスモルチェク教授に会わねばなりません。


二人の水文学者は大規模な研究施設を持っていましたが、訪問しても芳しい返事は得られませんでした。しかしブルン技術学校長でもあったスモルチェク教授は、シャウベルガーの考えにとても興味を抱き「ウィーン工科大学のシェイフェルナク教授に会うべきだ」と教えてくれました。

それに対してフォルヒハイマーは「会いに行っても、なぜ、ドナウ川やイン川の水が混ざり合わずに長い距離を平行に流れ続けているのかさえ説明できないのだから、無意味だろう」と主張しました。

しばらくして、スモルチェクがウィーンに来ました。シェイフェルナクとの面会がとにかく行われました。その結果は、フォルヒハイマーが予想したように否定的なものでした。シャウベルガーの理論を深く学んでいたのはフォルヒハイマーしかいませんでした。

最後に執筆した教科書に、彼はシャウベルガー理論の「サイクロイド・ブレーキ・カーブ」を紹介しています。他界する前、彼はシャウベルガーの水理論の本を出そうとしていました。死の直前、シャウベルガーに言いました。

「75歳になってうれしいよ。何の疑いもなく君の考えを取り上げてきたけれど、もうそれにいじめられることはないだろうから。やがて君が『理解』されるときが来るだろうよ」

フォルヒハイマーは亡くなる前にシャウベルガーの論文出版の約束を果たしています。「ウィーンの水文技術」として、1930年～31年の間、「水文経済誌」に連載されました。

フォルヒハイマーは序文を書きました。「これを洞察するに、とても興味深いものであることがわかってきました。生産の促進だけではなく、ダムや水の管理に関するこれまでの伝統技術すべてを変革するものです」。

フォルヒハイマーは他でも述べています。「シャウベルガーの考えによって世界が変わるときが来るだろう」

森林伐採と川の氾濫……水を死に追いやる誤った技術

1976年、ヨーロッパの川のほとんどが、ライン川と同様に森林伐採と水のコントロールによって悲惨な結果を生んでいました。かつては力強い水流で、数m深くまで澄み切って見えるほどだったのに、不当に扱われたために悪化したのです。

昔は、夜、水の力が最大になると、石が互いにぶつかり擦れ合いながら運ばれていきました。そのとき、川底からはあざやかな黄色い光が放たれていたのです。そこから小人たちの民話を思い出します。小人たちはライン川底の鍛冶場で不思議な宝石を作っているのです。リヒャルト・ワグナーの楽劇「ラインの黄金」は、これが主題になっています。

この有名な川でさえ悲しい運命に出会うようになってしまいました。源流のスイス・アルプスで材木の伐り出しが始まったときからです。これでバランスが狂い、沈泥がたくさん生じ始めました。そこで、流速を増すために、また、きれいにするために、カーブやジグザクのところが直線に変えられました。その結果、もっとたくさんの浸食された物質が、さらにもっと遠くまで運ばれるようになってしまったのです。順に下流へと、たくさんのカーブがまっすぐにされていきました。いったんその作業が始まると、中止できなくなってしまったのです。やがて、どこにもカーブのない直線の川となり、どこにでも沈泥が生じるようになっていきました。

この根本的な原因こそ森林伐採でした。それが生態系の均衡を壊してしまったのです。森の偉大な貯蔵能力や冷却効果は失われてしまいました。水を貯えておくことができず、水はすぐにさまざまなものを洗い流しながら下っていきます。

また、疲れ果てた水は急速に温度が上昇し、石や砂利の重荷をすぐに降ろして堆積させていきます。それで川底は浅くなり氾濫しやすくなりました。水文技術者たちは、石やコンクリートで壁を作り、川岸を強固にし、水底をさらい始めました。山に激しく雨が降った後など、水底をさらう会社はここぞとばかりに、川底の堆積物をさらう仕事に取り組みました。そして、川岸はいつも修繕しなければなりませんでした。


1935年、ラインラントで大規模な川の氾濫がありました。さらにいっそう費用のかかる新予防策とは、岸を補強することと水路をきれいにすることでした。ドイツ当局に反発したのはシャウベルガーです。論文や手紙で鋭い批判をしました。同時に、川をどう調整すべきかをも書きました。

「ライン川の水位を4~6m下げれば川の収容面積が増すのではないかと単純に思われるかもしれない。しかし、そのようなことは水温を調節するだけでできることだ。そうすれば氾濫を防止するためにかかっている費用のほんのわずかで済むだろう。

死の川となったライン川

水底をさらうのも無意味なことである。氾濫には水底をさらってできた閘門（複数）があるのだから、それで十分だ。毎年、ライン川は泥や砂利を約10万㎥も洗い流していると思われている。それをまたいっぱいに戻せば良い。

同様に、川岸をいかに盛り上げても、突破の危険は増す。水が温かくなっていればいくらやっても無意味なのだ。

それで、私に相談してください。わずかな費用で氾濫の危険を永久に消し去ることができます。完璧にコントロールしましょう。また、ライン川の水位が2ｍ下がるまでは支払いを要求しません」

シャウベルガーの申し出を相手にする者はいませんでした。これまでの方法が続けられ、ライン川にはよりいっそう沈泥が堆積していきました。

ライン川をコントロールするためには、彼がエネルギー体と呼ぶものを川底に移植する必要がありました。それはただ「たくさんの溝」をつけたような形をしているものです。それを流れの底に入れるだけでした。以前からこの実験を彼はしていたのです。

「数年前、シュタイエルリンクの川で、密かにエネルギー体を入れて実験していたときのことだった。一晩中、水はさまざまな物を効率良く洗い流し続け、数百㎥の砂などを岸に吐き出していた。

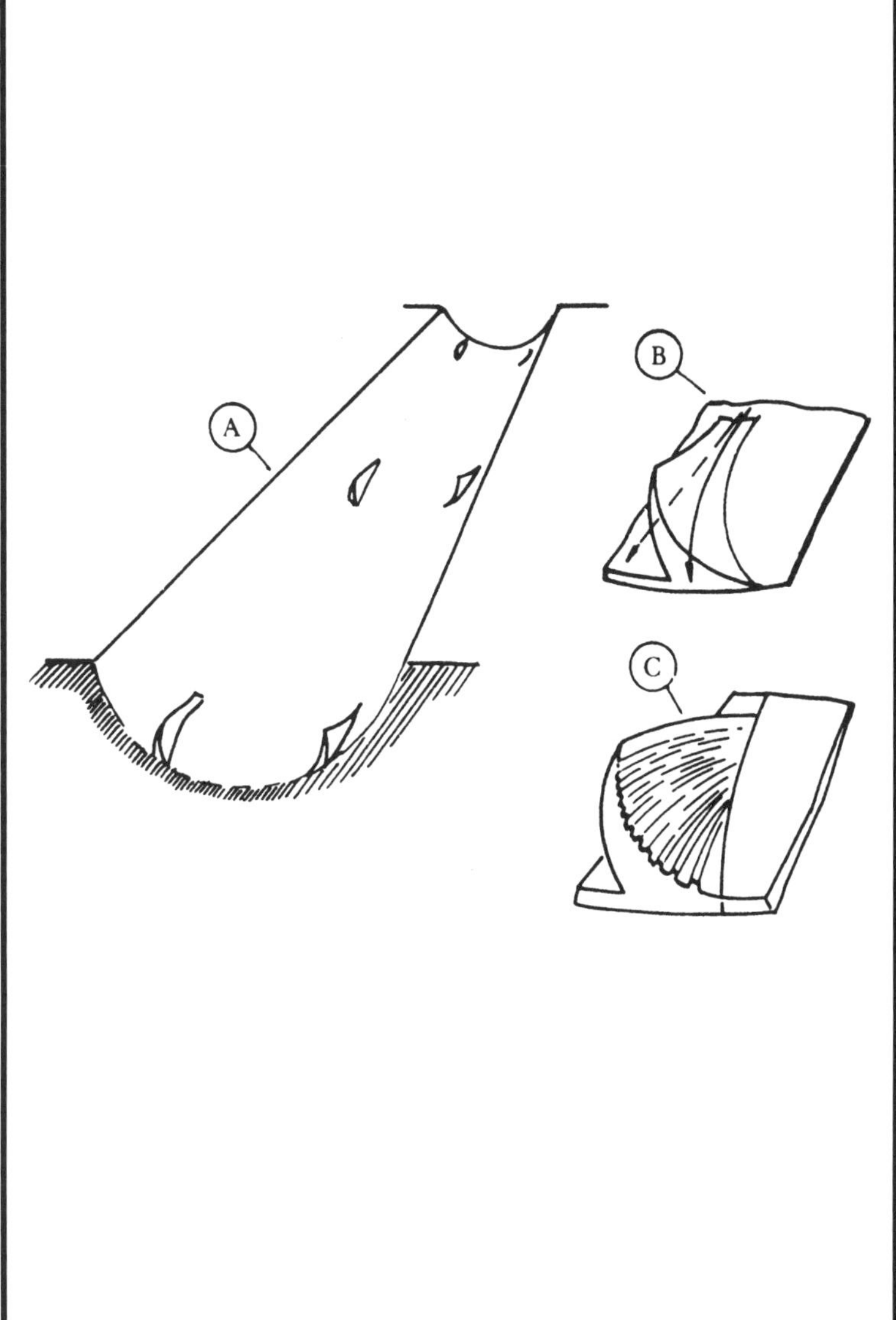

（A）は水路の概略図。そこでは（B）タイプの「エネルギー体」が仮想流水路を囲むように生じる。斜めに生じるこの溝によって、水は流水路の中央を螺旋状に運動するようになる。（オーストリア特許13 45 43. より）

そして夜の間、目印の岩より水位は上がらなかった。

滑らかな岸や特別な形状の石に沿って水の流れは速くなる。そこでは、わずかな量の水がぶつかる場所よりももっと物質が掘り起されている。

この現象は流れをコントロールするのに使える。川の中央の力をコントロールするために、この推進力を導入するなら、岸の斜面よりも川の中央で堆積物をさらう動きが生じるのだ。

こうすれば川の中央軸にある水路は深くなるだろう。水深の増加によって、砂や他の粒子は自動的に流れていく。その速度はゆっくりだが、川は以前よりもっと自由に流れるようになるのだ。

適切にコントロールされた川には毛細血管のような動きが生じる。水には、荒く硬い物質を運ぶエネルギーが蓄えられているのだ。それによって荒々しい水流は両岸へ広がっていき、小さくされる。この過程で、運ばれている物質はこすられたり押しつぶされたりするからだ。それで、中央主流部分にあった荒々しい物体は減少する。

水流は荷物を選択できる。粗い粒の粒子は、荒々しい水流によって両岸へと押しやられて、小さな破片に砕かれる。もともと小さくて軽い砂粒子も留まっていることができず、すぐに両岸に押しやられる。この単純な動作によって、水は沈泥、堆積を生じなくなる。

はっきりしているのは、健康な川は横に広がり、自分で岸を作ることだ。それで植物は岸辺に繁茂し、万物の母である水を守る」

こういった仕事を遂行する水の能力が、たとえば発電所のタービン室であれば、天然水を取水する部分と排水する部分で変わってきます。また、森林伐採を通して土地のバランスが崩れると、ちょうど熱を出した人のように、水は強さを失っていきます。

シャウベルガーは「水文経済誌」の論文で、自然の水の基礎的なコントロールについて述べています。また、土地とそれに適応する水路がどのように水質と、また、健康に影響を与えるかを論じています。

さらに、周囲の温度や他の要素によって、水の運動、流れの荒さ、流れの層、形状などがどう変化するかも論じています。それが水自身の「代謝」に重大な影響を与えるのです。

逆に、特殊なダムを建設することで、水路周囲の土地を好ましい自然な働きに戻す方法も述べています。

「陽性」「陰性」の温度変化は、シャウベルガーの水理論の重要な要素です。陽性とはプラス4度に近い水のことです。この温度範囲の中で水のエネルギーと、そのエネルギーによるサイクロイド螺旋運動が増加します。すると健康的で活発な水になり、水素によって酸素が結びつけられた、彼が「乳濁液」と名付けたものを生み出します。

水が「陰性」の温度範囲にあるとき、それは4度以上ある状態なのですが、水のエネルギーと生物としての性質は減少します。酸素によって水素が結びつけられるのです。それは悪化であり、運ぶ力を失い、病原菌を増やします。

第3章

「生きている水」と「死んでいる水」の神秘なるメカニズムと自然界に及ぼす影響

水の神秘を研究する者は常に巨大権力に攻撃されてきた

水は生命の器であり、神秘に満ちたものです。水こそ、シャウベルガーの世界観の中央に位置するものです。

「歴史をはるかに遡(さかのぼ)ってみると、水の謎を解明しようとする人がひどく攻撃されてきたことがわかる。そして、水とは何かを説明しようとする書は、後に出版されるもので台無しにされている。いずれにしても、資本をたくさん必要とする経済が繁栄するには、水はつねに神秘でなければならない。なぜなら、欠陥のある経済こそ財界は生きがいだからだ。

水の本質に関する謎が解き明かされるなら、どんな場所でも同じ純粋な水を提供できるだろう。これによって、砂漠の広い地域が肥沃になるはずだ。

その結果、生産物の販売価格は落ち込む。それで、これ以上、農業機械について考えたり、農業を発展させたりすることを奨励しなくなるだろう。限りない生産、安い農業機械という考えが革命的となり、世界中の生活様式が一変するだろう。

結局、水の神秘を維持することは資本の価値を維持することになる。だから、それを究明しようとする者はすべて攻撃されるのだ」

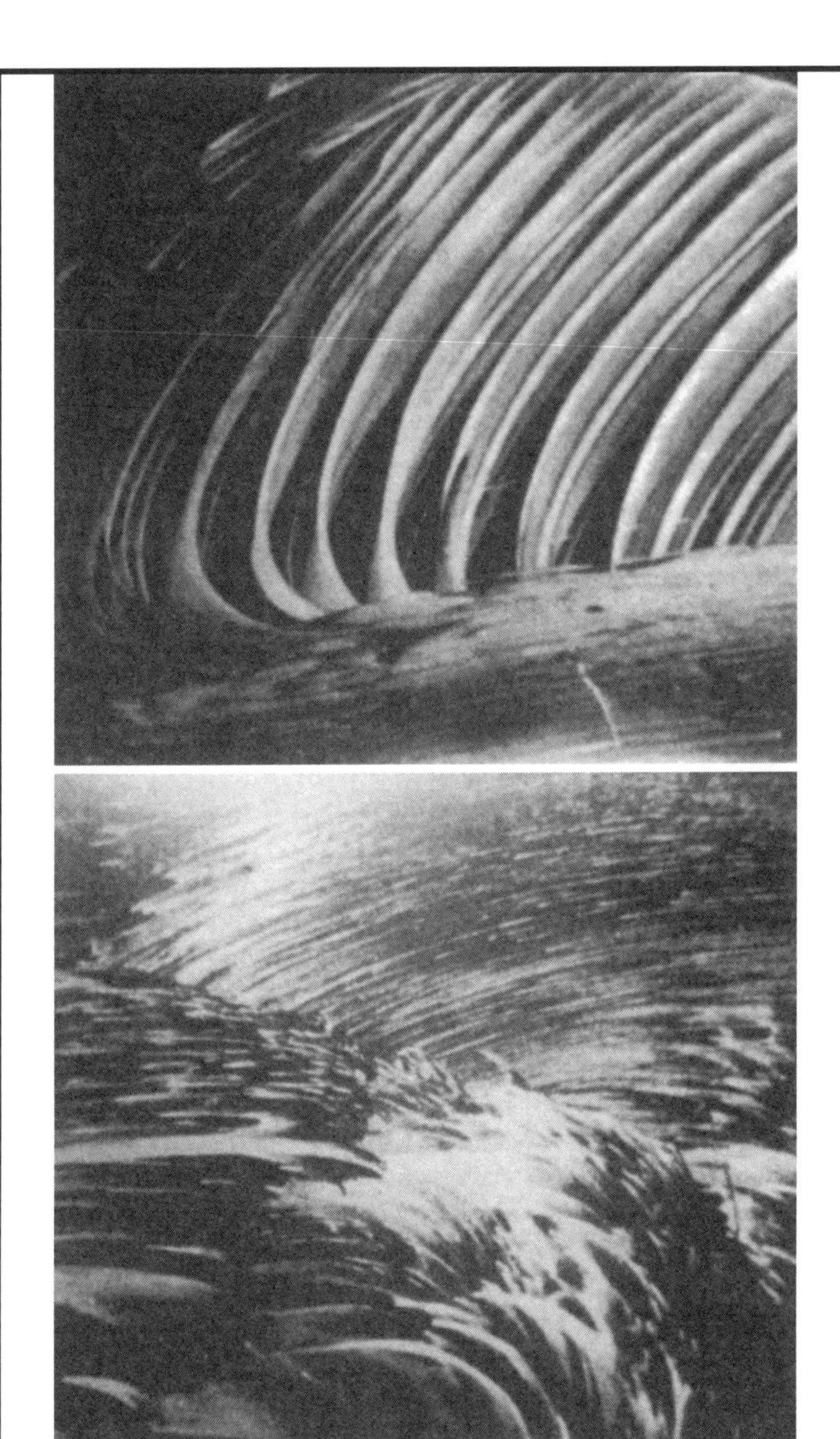

水滴内の水の動き（カール・H、ヘンゼル・ヴェルラーグ、ベルリン）

水の神秘を解明する鍵を発見したというシャウベルガーの主張が大げさだと思われても、それでも彼の水に関する知識は相当なものでした。それは何年にもわたる粘り強い自然の探究から築きあげられたものです。

また、彼の多くの記述からすると理論的な水文学にも通じていたことは確かです。「研究所で水の研究をする技術者や科学者たちには、水の真実の姿を知る機会などない」と彼は強く主張しました。

「研究所で水の特性を探ろうとするなら、水を一心に分析したり測定したりすべきではない。研究のために持ち込まれる『死んだ水』は、水の持つ自然の法則を解明できる状態ではない。自然の、自由に流れ出る水からこそ結論を導き出せ、考えを進められるのだ。つまり、もっと深遠な法則が、地球という生体の中に隠されているのだ」

「少なくとも、今の人が知っている水が、本当の水であるとは限らない」とシャウベルガーは述べました。例えば、現在では特殊な「重」水というものがわかっています。しかし一般の科学では、水は大気から海へ循環し、さまざまな形体をとるものとしか考えられておらず、まして、水が生物かどうかと聞かれれば、それは死んだ化学物質であると答えるでしょう。水の問題は容易ではありません。彼は次のように述べています。

「水の神秘は人体の血液の神秘とよく似ている。血液が人間に重要な働きをしているように、自然界の正常な機能は水によってなされているのだ」

シャウベルガーは、水の神秘を解く鍵を探すときによく歴史を尊重しました。昔の人はどのように水を処理していたのか、次のように慎重に研究に取り組んでいたのです。

「ローマ人が泉を作るとき、薄い石のプレートを周囲に高く立てた。そして石に穴を一つ開け、管を通した。それはぴったりと空気が洩れないように作られている。

これは単純なものだが、この時代のそういった方法に関することは現代の方法よりもいろいろ記録に残っている。

現代では多くの場合、泉の周囲を石灰やセメント、金属で囲んでいるが、これは泉とそれに隣接する環境との共生関係を遮断するものだ。

金属コイン（と木材と）の影響を数年かけて調べるべきである。それは習慣として泉に投げ入れられるものだが、泉の健康を維持する金属コインを選ぶべきである。したがってそういうところの給水システムに木材を使ってはならない。

古代ローマの給水システムを学ぶと、飲料水は木製のパイプからも自然石の水路からも供給されていたことがわかる。後に町が発展して水が多く必要になると、不運にも、飲料水や入浴のための水を供給するために、金属の水路を使うようになってしまった」

興味深い古代の水道があります。東トルキスタンに作られた地下の用水路です。それは1700年代ずっと機能し、管理されていました。アジアを旅行したスヴェン・ヘディンはその遺跡を調査しています。この地域では灌漑（かんがい）地域まで、地下深い暗闇の管（複数）を水が流れていました。東トルキスタンのオアシスがかつては肥沃な土地だったのは、水を暗く冷たいところを通す、この方法にあるとシャウベルガーは思いました。

歴史を調べると、とても興味深いことがわかります。昔の人々は、今日よりも水本来の特性をはっきり理解していたに違いありません。

シャウベルガーは歴史をふり返っていろいろなことを確認していました。しかし、その作業を終えると、いつも考え込んでしまうのでした。それは彼の直観力と深い認識から生じるものでした。自然界を観察し、彼独自の結論に到達します。すると、学んだ自然のプロセスを真似しなければならないという使命を感じてしまうのです。

「人の手が入っていない自然界からは新たな技術を学べるものだ。しかし、観察をするには鋭敏な感覚が必要である。そして私たちは自分たちのために仕事の方向転換をするのであれば、その前にまず自然を理解しなければならない。ところが、遠隔地の森林監視員を訪れようとする人などほとんどいないものだ。だから、私は森で観察ができた。そして内破のアイデアを思いついたのだ。

リングより下の地域、ヘツァウにはオード湖がある。暑い気温がしばらく続くと、雷のような音が湖の底から聞こえてくることがあった。それは噴流によるものである。

ある夏の暑い日、私は湖の土手に腰かけていた。水に入ってさっぱりしようと思った。そして、まさに飛び込もうとしたときのことだ。水が奇妙な螺旋状の渦を巻き始めたではないか。なだれで湖に集まっていた木々も螺旋状のダンスを始めた。互いに引き合いながら、だんだんスピードを増して湖の中心へと引っ張られていく。

中央に到達するや突然木々は立ち上がり、それから、岸を引っ張るほどの強い力で湖の中へ消えていった。

それは、人が竜巻で突然上方に巻き上げられ、無防備に地上にたたきつけられるようなものだ。その後、オード湖面に浮上してくる木はなかった。

わずかな時間だったが、生贄（いけにえ）を深みへと引きずり込んで安心したかのように、湖は再び静かになった。

しかし、それは本当の嵐の前の静けさだった。突然、湖底が低くうなり始めたのだ。何の兆候もなく突然、水が湖の中央から家の高さほども噴出してきた。

回転するカップのような形の水柱とともに、雷のような音が響き渡った。それから突然、水の噴出は崩壊した。

波が神秘的な力で立ち上がり迫ってきたので大急ぎで岸から離れた。水の典型的な膨張である。それはさらなる水の供給もせずに、湖の水を一新するためのものである」

シャウベルガーは湖の体験から大胆な結論を導きました。水は生まれ、成長する。つまりエネルギーのより高度な形態へと順次変化していく生きた物質だというのです。

それで水はこのような驚くべき待遇を受ける年齢に成長したのです。限られた量の水でさえ、こうして一瞬増加します。それは通常の熱膨張ではありません。生命体のように成長を通しての一現象なのです。シャウベルガーは次のように続けます。

「自然に流れている水は自分から大きくなる。それによって質を改善し、成熟していくためである。賢明な自然は、沸点と氷点を変化させながら山頂まで水を持ち上げていく。そうして泉を出現させるのだが、この過程を知れば、汲み上げ装置など必要ないことがわかる。

これは水（という生命）の繁殖、そして浄化のための自然のプロセスである。しかし、こうして水が上がっていくことなど、一般で受け入れられてはいない。

それはまた、空気の覆いを作り出す。それによって空気が膨張するようにもしている。そして生命（訳注：水の生命に対して空気も生命ととらえていたのだろう）をより高度な形に育てるために役立っているのだ」

自然環境を左右する水の完全循環と不完全な半循環

シャウベルガーによると、水が大地から大気、そして再び大地へと戻っていく循環は、完全な1循環であり、また半循環でもあるというのです。それによって雨が地中深く染み込んでいくことのできる場所にだけ生じます。

水が流れていくにつれて自然の植生が順々に促されていきます。完全循環では、大地に降る雨が土を通って地中へと流れ込み、急速に冷却されながら深く、深く沈み込んでいきます。

地中深く入っていくにつれて水は疲れ切ってしまいます。その水に、上にある水の圧力が加わり、また、水自身が地球の熱で温められて重量が減り、上昇しようとする圧力が加わります。その両方の圧力が等しくなるところに達して止まります。

熱せられている間、水は金属や塩を引き寄せてそれらと結合します。水は部分的に蒸気に換えられ、それが地球内部の炭素と接触して$C + H_2O \rightarrow CO + H_2$と変化します。

これは、水の中の酸素が水素から離れ、湿った水素ガスがものすごい圧力で地表へ押し上げられることを意味します。こうして水素ガスが速く出ていくために、炭酸ガスは深いところで残された形になります。

それとともに周囲の塩が溶かされ、表面近くの層に再び蓄積するためにガスで運ばれていきます。そして植物の「冷却」効果によって冷やされます。これこそ、どうやって植物に絶えず栄養が送られ、根に蓄積されるかということなのです。

しかし、半循環だけではいかなる栄養の流れも生じません。例えば木が伐り出されると、残された植物が覆う表面積が減少するか、まったくなくなってしまいます。すると、その地域は太陽に直接熱せられることになります。降水量よりも熱量のほうが多くなり、湿気が土に染み込んでいくのが阻止されてしまいます。

蒸発は速いものです。水は急速に温められ、逃げ去ってしまいます。地表のすぐ下までしか水は染み込んでいけず、もっと下にある栄養となる塩分を取りに行くこともできません。

さて、完全循環は下層土に水を供給するだけではありません。半循環しかできない地域には下層土に水は供給されません。むしろ植物の根が、もっと深いところにある水を引き上げようとする働きに頼るしかないのです。

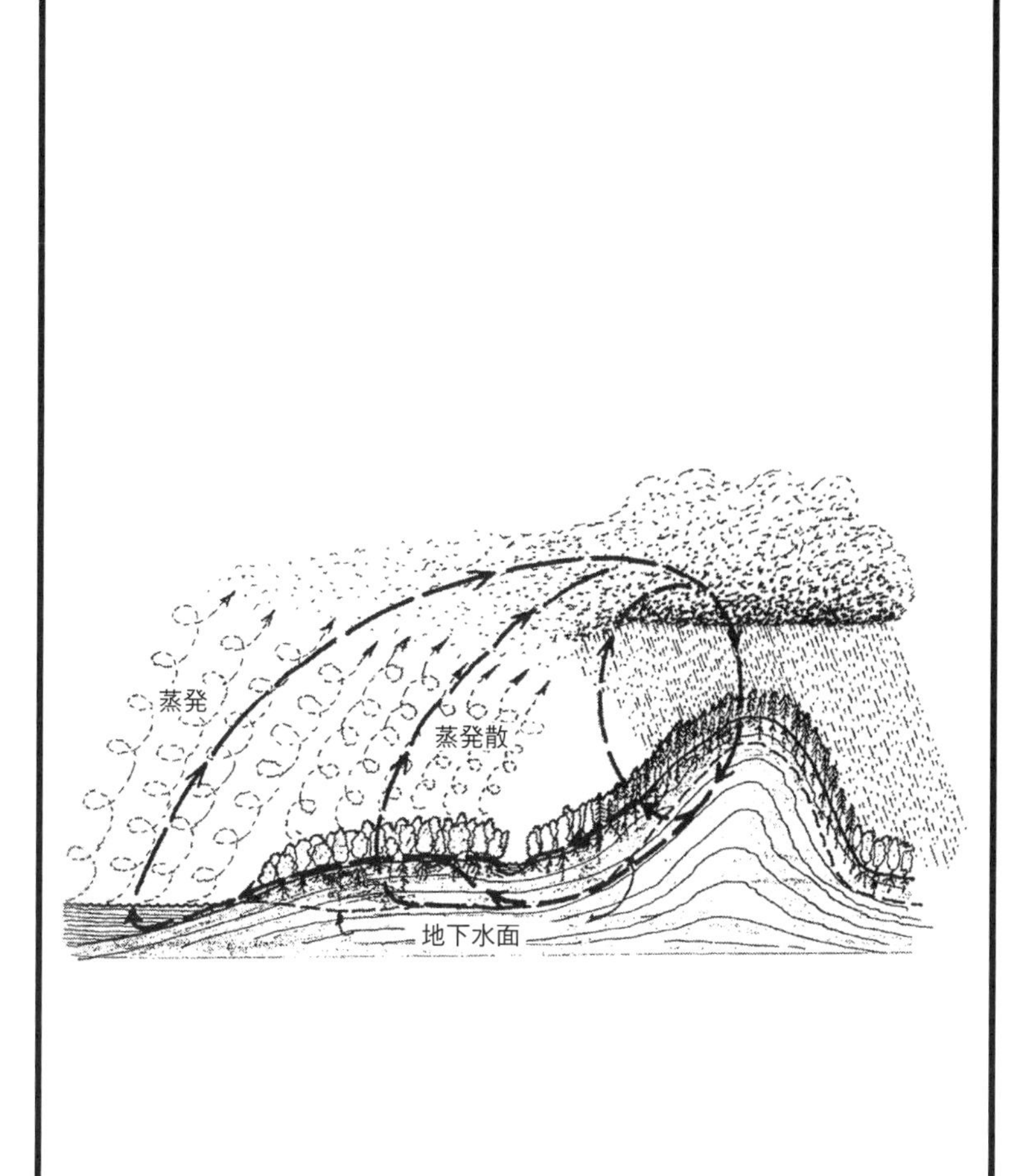

水の完全循環──（“LIVING ENERGIES” by Callum Coats, 超不都合な科学的真実［長寿の秘密／失われた古代文明］編より）

まず、土地が乾燥していると樹木は水をたくさん発散します。それで逆に根の部分が冷えてプラス4度へと下がっていきます。ここでアルキメデスの法則が働きます。つまり、冷たい水の下深くに温められた水があると、温められた水が上がってくるのです。それで、下層土の水が表面へと上がってきて、乾燥しそうになっている根を助けます。植物がなかったら、このように地下の水が上がってくる現象は起きないでしょう。

シャウベルガーはとても興味深いことを述べています。水の循環を通して水の温度が変化すること。自然な状態であれば地中の水の成長領域に絶えず栄養が供給されること。そして、樹木の自然な生育、また健康な水が阻害されると、土も極度に疲労することです。


「年間を通して、長い冬や凍結が続く極地域では、春に集中して栄養分が動き始める。

雪や凍土は最高の断熱作用をする。この断熱毛布によって、春まで土壌が暖かく保たれる。そして春になると、太陽の暖かさで凍結土が柔らかくなるのを助けることにもなるのだ。

溶けだした水は地中深くまで染み込んでいく。そして完全循環によって、植物の根の部分へと栄養が押し上げられてくる。凍結した土壌が厚いほど、春には栄養分の動きがますます盛んになる。

もちろん、冬の状況が芳しくないときには、夏の収穫も良くない」（「水文経済誌」、1931年、No.5）

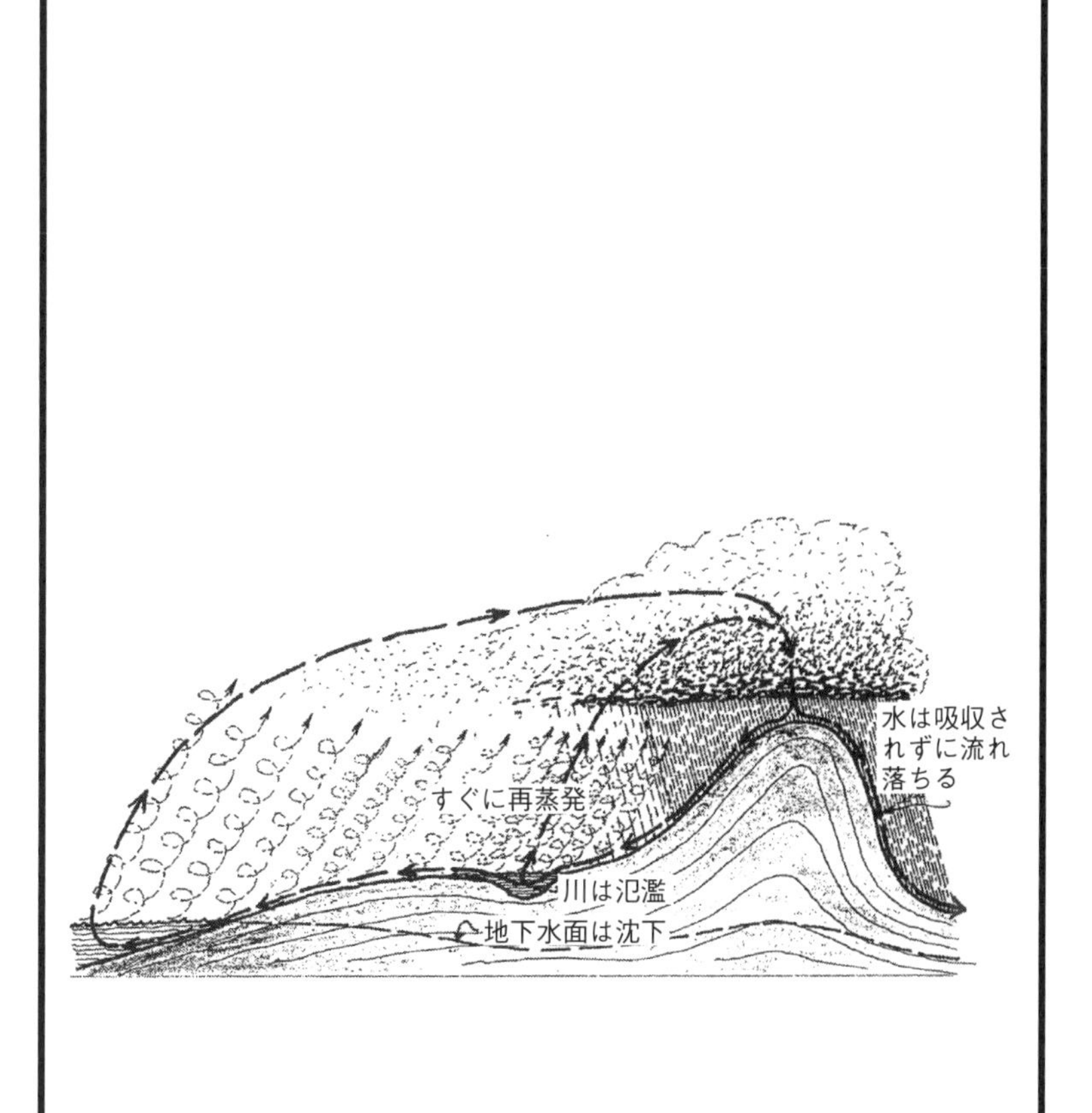

水の半循環（不完全な水循環）——（“LIVING ENERGIES” by Callum Coats, 超不都合な科学的真実［長寿の秘密／失われた古代文明］編より）

森林除去後、水の質は低下します。地下から送り続けられていた栄養が中断されてしまうのです。なぜ近代的な林業技術では商業用の森に人工的に肥料をやらなければならないのかということが、これではっきりします。通常の栄養は自然界に正常に供給されていたのが、もはや供給されなくなったからです。

またシャウベルガーは、地中の水をポンプで汲み出したものを飲料水にするのを良しとしませんでした。この水は深いところで「未熟な」状態でいたものであり、それを人工的に汲み上げたからです。つまり、自然循環全体をまだ終えていない水なのです。よって、長期的には人にも動物にも、そして植物にさえも有害なものとなるでしょう。飲料に適した水は、泉のようなものから土壌に湧き出て、小川となって流れるようになったものです。

シャウベルガーは、地球の下層土の水を軽く吸い上げるだけでも、二重の危険を孕(はら)むことになると言います。それも、蓄えられた「未熟な」水を使うことになるからだというのです。さらにこの水は、生きた生命のプロセスすべてに芳しくない影響を与えます。それを飲む人にエネルギーを与える代わりに、身体からエネルギーを奪ってしまうからです。

ジャムトランドのハラヴァッツ川（ニルス・ジョン・ノレンリナ）

水は自然界の源です。そして山の泉には大きな特徴があるのです。シャウベルガーは、この水を1ℓ飲めば体重は約1kg増すはずなのに、本当の増加分は300〜400gに過ぎないことに気付きました。

それ以外の水は身体のエネルギーに直接変換されたに違いありません。それで、この水には途轍もなく活気を与える性質があることの説明になります。

シャウベルガーは、次に紹介する「リパルセーター」を使って、この種の水を機械的に作り出そうとしました。

驚きのメカニズム！ 鉱泉の自然水を再現した水精製装置

ヴィクトル・シャウベルガーは早くから身体に良い飲料水を人工的に作ることを考えていました。自然界が水を作る方法を真似た機械で泉の水を作り出せるはずです。それによって、環境破壊で自然の水を得られなくなった人々を助けられるはずなのです。

「人が生物同士の関係を乱さないようにしていれば、母なる大地は自身の血液——水——を健康な植物に提供できる。地球はすでに水路を提供してきたはずである。そこに人工的な運河などいらない。

しかし今日、健康な泉のほとんどすべてが干上がっている。また、水はその源からの流れを変えられ、良くないパイプで導かれている。そのためにあらゆる生命が不健康な水に頼ることになり、生命の新鮮さが欠けている。

水は化学物質に汚染された劣悪なシステムを通って住宅団地へ供給されている。そこで、自然の方法を再発見することが急務である。人間、動物、そして土地を衰退させてはならない。地球が脱水症状になって死滅してはいけないのだ。

自然はわれわれの教師であり、われわれは、自然にしかできないことを学ばなければならない。健康を望むために、地域の機械や水力にだけ頼ってなどいられない。母なる自然が水をどのように地球の生きた血に変え——それは純粋で、活気を与えてくれるものだが——、どうやって私たちがそれを入手できるようにしてくれるのか学ばねばならない。

その探求に成功すれば、次の疑問など考える必要がなくなるだろう。すなわち、どうして地球が、想像もつかないほどの力を与えてくれないのか。そしておいしい収穫をもたらす庭園に変えてくれないのかということだ。

良質な山の泉は（地下の）物質の影響を受けて、大気中の水（雨）とは異なるものを含んでいる。泉は溶けた塩の他に、自由で安定した形態の炭酸を濃く含んでいるのだ。

そういった山の泉は純度96％の炭素物質からなるガスを含んでいる。この場合の炭素物質とは、化学分析での炭素物質すべてを意味する。また、さまざまな元素やそれらの化合物、金属やミネラルが含まれている。換言すれば、酸素と水素以外の物質すべてが含まれているのだ。

大気中の水（雨水、濃縮された水、蒸留水、また強い空気の流れや光にさらされた水）には高い濃度の酸素が含まれている。塩はわずかしか含まれていない。自由で安定した炭酸ガスはほとんどなく、大気中の酸素で満たされている。

含有している物質が違うので、溶け込んでいるものは泉とは異なる。化学組成が異なっても、どちらも水の中で働くエネルギーである。したがって、炭素物質から得られる高いエネルギーを含む水（訳注：泉の水）は、酸素から得られる高いエネルギーを含む水（訳注：大気中の水）とは別のものとなる。

大気から地中に沈み込んでいく水は、塩やミネラルなど、水が活気を取り戻すために必要なものを吸収していくだろう。また、光と空気から隔離されることで、さらに活気付けられるのだ。

しかしそれは時間と距離の両方を要する旅でもある。水は、地下で必要な変化を受けて内なる成熟を果たす。大気中に固体として少なくとも純度96％の炭素物質があれば、それを取り込んで水は成熟できるのだが（実際は地下でそれがなされる）。とにかく、（地下での）この内なる成熟から、水の質と内面的な強さが決まってくる」

シャウベルガーは、その過程を再現し始めました。1930年前後に水精製装置というものを作りました。これが最終的には、彼が特許を申請したものへと発展します。

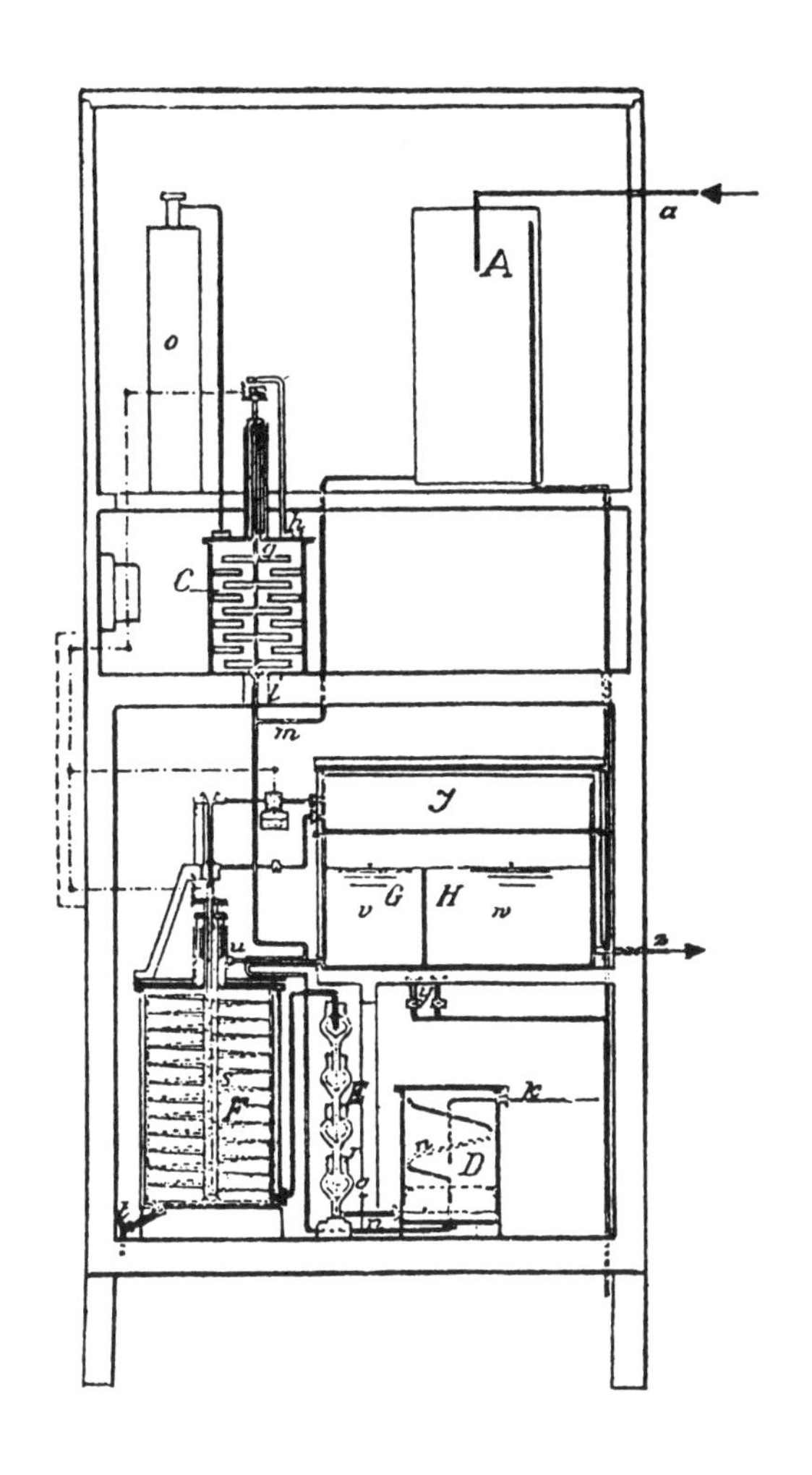

「生きている水」を作るための初期の装置。容器（A）の消毒された水は容器（C）の食塩水と混ざって落ちていく。二酸化炭素がパイプkから導き入れられ、（D）を通る混合水に、穴の開いたパイプnから噴射される。そうされながら水は（D）の底に滴り落ちる。それから（E）に導かれる。そこで曲がりくねった動きになりながら（F）へと入っていく。（F）にある金と銀のフィルターを通過する。最後に内側が銀に覆われた容器（H）に集められ、ゆっくりと＋4度になるまで冷やされる。

彼はドナウ川の殺菌消毒された水を使いました。それには少量の特定の金属、ミネラル、そして二酸化炭素が含まれています。

暗闇でサイクロイド螺旋運動をさせ、「生物学的ゼロ」（プラス4度）まで水温を下げていきました。その過程は、彼が「完全循環」と呼ぶ、地中での水の自然な旅を真似たものです。

その後、しばらく貯蔵していると、水はゆっくりとプラス8度まで上昇し、飲める段階になります。

ヴィクトル・シャウベルガーは「生きている水」を作ったという噂がすぐ広まりました。そこで人々は彼の家へ押し寄せてきました。

その水はとても新鮮で、病気の人にはさらによく、熱が和らぎ、回復が早くなると言われるようになりました。

材木用人工水路を建設したとき、シャウベルガーは「水の魔術師」と呼ばれているだけでしたが、今や本当にそう信じられているのです。研究所に送られた試料の分析では、シャウベルガーの水は鉱泉の水と同じものだという結果が出ました。

最初の装置は、組み立ても操作もとても複雑でした。そこでシャウベルガーはもっと「自然な」モデルを作ろうとしました。しばらくして、次図のような装置を開発しました。

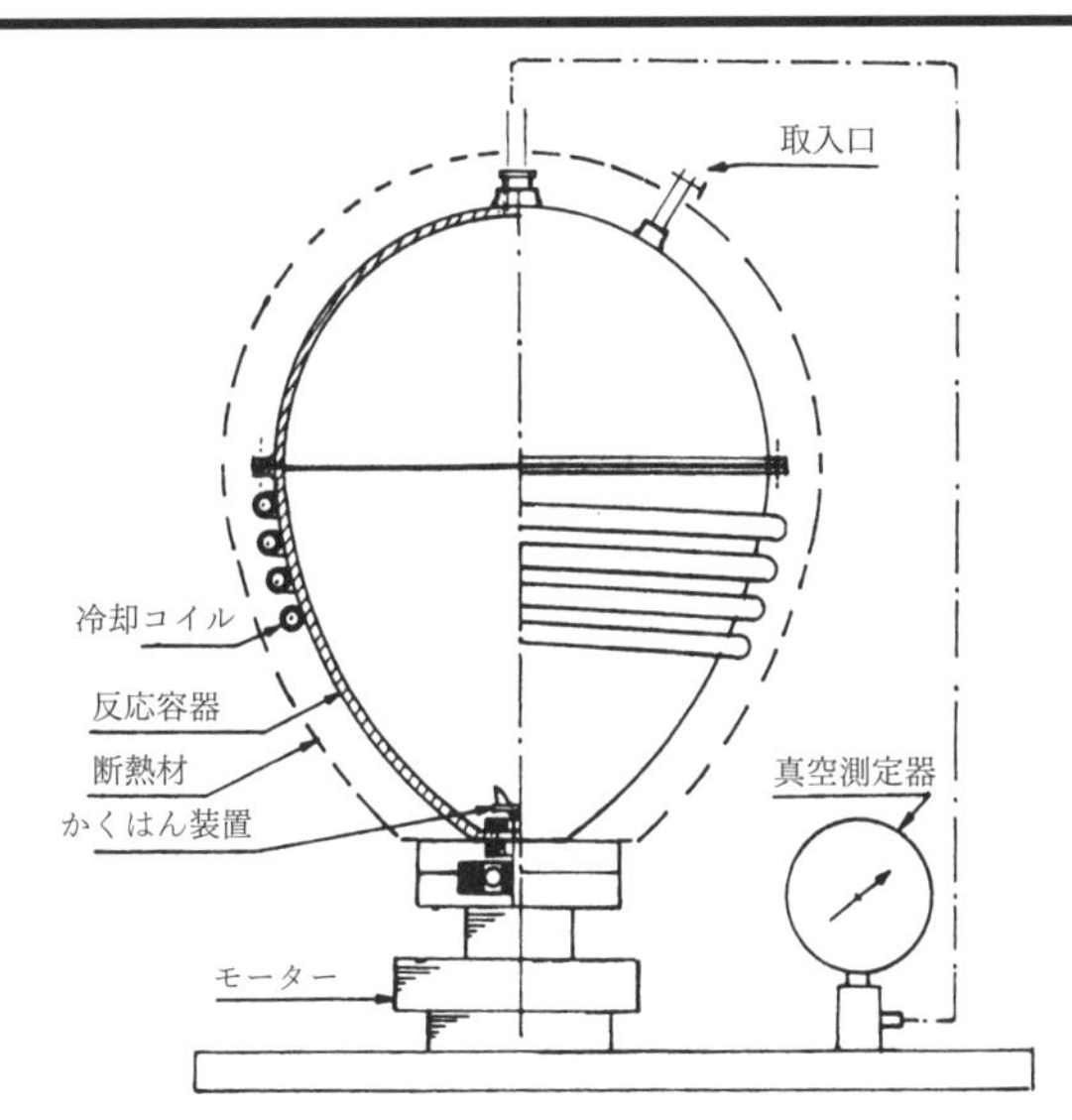

生合成装置の概略図。生合成のための要素は、合金でできた卵型の密閉容器の中に加えられる。中に入ったものは、特殊な形の攪拌装置で双曲線型の求心力の螺旋運動をする。冷却コイルで適温になるように調節する。容器は、生じた「内破エネルギー」の損失を制限し、容器内に集中させるために、炭化水素材でできた殻の断熱材内に囲まれている。それによって生合成が生じる。真空測定器で、生合成がうまくできたときに生じる「生物学的真空」を測定する。

泉の水の生合成（生態学的合成）装置。スウェーデンの生物工学者たちが製作（第13章参照）

適切な進行過程をとるためには卵型が重要だということに気付きました。それが自然の最も理想的な形だと実感したからです。この「卵型」装置は決定的なものでした。

さまざまな「純粋な金属」の合金で卵型容器を作り、適するものを選びました。容器には真空でしっかりと蓋をした部分があり、取入口から二酸化炭素を出し入れして調節しました。また、その過程が正しく機能していれば容器内に「生物学的真空」が生じます。それを測る装置もありました。

また、攪拌機は装置の重要な部分でした。それは水がかき回されてサイクロイド螺旋運動をするところです。攪拌機の形状、回転数、方向、そして4分の3拍子の特定のリズム、そのすべてが重要な因子でした。また作られたエネルギーが外へ発散しないような材料で装置が覆われていました。そのエネルギーが、高度な水の質を維持するために水の中へと戻されるのです。

水質の悪化を避ける究極の飲料水用パイプの形状

健康な飲料水を精製するために、送水管の材料も選びました。シャウベルガーは鉄やコンクリートのパイプには最も批判的であり、それが水を破壊してガンの原因になると考えていました。

「動物や植物の身体の毛細血管は血液や樹液を運ぶ。それは全組織を維持管理するための伝達組織である。

同じように、飲料水を供給するパイプも毛細血管と同じように見なければならない。それは（パイプ材の間違った選択によって）パイプ自身を物理的に悪化させないために、また水に有害な特性が生じないようにするためである。

人間や動物はそれで影響を受けてしまうからだ。飲料水用のパイプの壁は、自然界で水がそうしているように流れなければならない。さもなければパイプが腐食し、人の血管組織もダメージを受けることになる。それによってガンのような危険な病気を引き起こすようになる。

水質の悪化を避けるには、パイプの材質として生物同士が共存できる、とりわけ熱伝導の小さな、健全で健康に良い木材のようなものを選ばねばならない。人工石は、純粋な飲料水を伝達するには金属と同じように相応しくない。天然材質だけが地球の血液を伝える過程を遂行するものだからだ。健全に正しく処理された木材は、鉄と同じように耐久力がある。

大地に置くときには、パイプが腐食や腐敗をしないように、腐食土ではなく、砂をかけねばならない。木製パイプの断熱性が温度変化による水質の悪化を防ぐだろう。

木製パイプの水圧は、鉄やコンクリートのパイプよりも良い（訳注：材質によって水が抵抗を受けるため）。しかし、現代の林業技術で得られた木材は使えない。品質は揃っておらず、自然に栽培された木より耐久性がないからだ」

パイプ材は水質に適しているばかりではなく、形状にも気を使う必要がありました。水の運動が大切な要因となるからです。

水の品質は、パイプの中に合金の螺旋を取り付けて向上できます（次図）。シャウベルガーは、1934年にこの特許を取りました。

「このパイプは自然の流れを得るためのものだ。水をダブル・ツイストの流れになるようにする。それが自由に流れる河川で見られる。このパイプを流れる水は冷やされ、新鮮で、十分なエネルギーを蓄える。また、ほとんどガスを含まないものになるだろう。それはエネルギーで泡立つものになる」

彼はまた、水の中の病原菌がこのパイプで姿を消すとも述べています。

また、水を地中から汲み上げて加圧するのも有害だと考えていました。発電所のタービンを通過した水も同様に力が弱まってしまうのです。

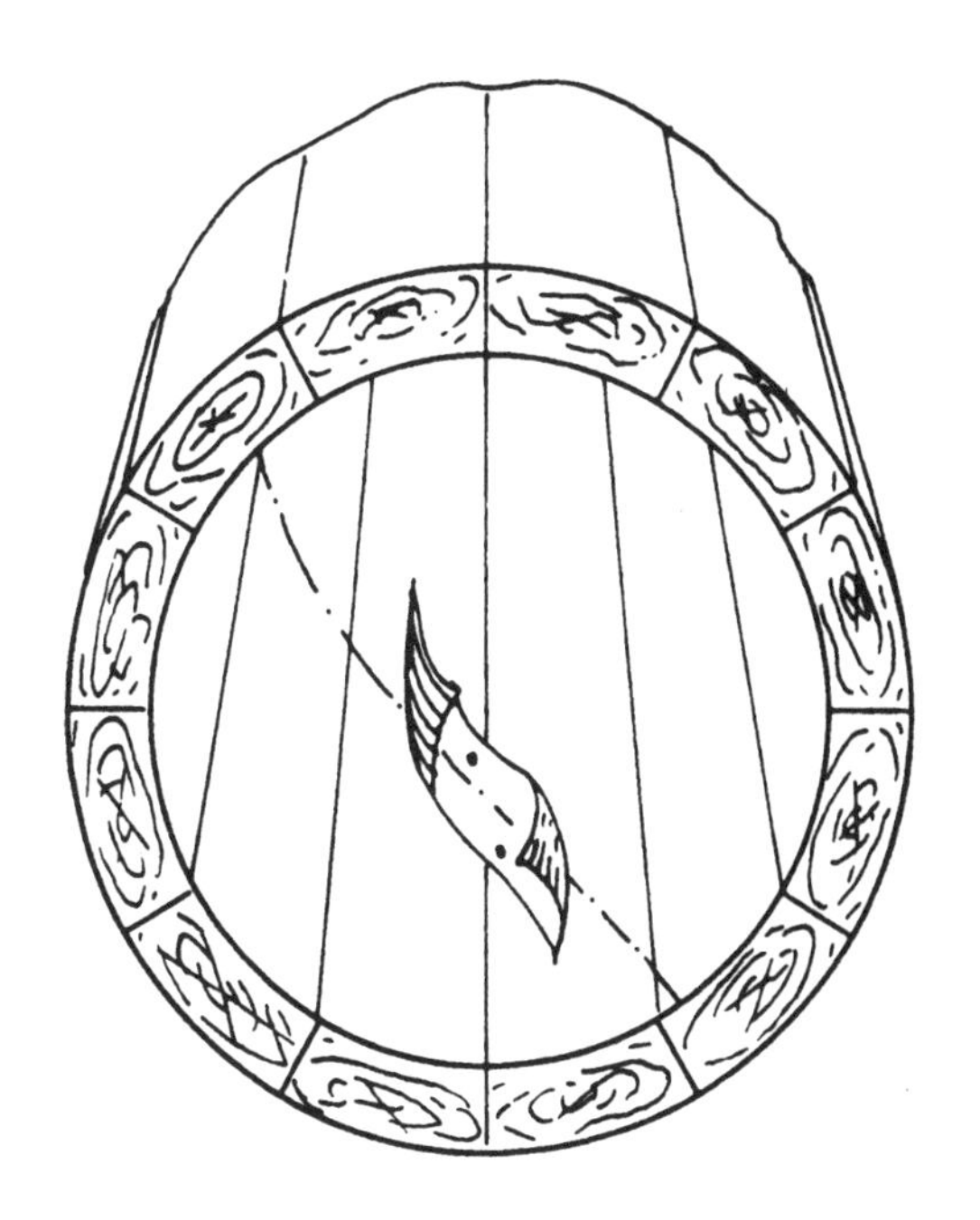

二重螺旋状パイプ。木で作ることが望ましい。内部には銅や銀のような純粋な金属をガイド・エッジとしたものがある。この構造によって水は螺旋運動をする。それがはっきり行われるようにしなければならないが、それによって、このパイプ内での抵抗はかなり減少する。（オーストリア特許13 82 96.）

シャウベルガーが出した水の自然処理に関する次のような考えは、最も物議を醸したものでした。

1）水はそれ自身の自然環境、つまり、最も多種多様な生き物が生活する、自然な森のようなところを流れ、熟成されねばならない。森林伐採も、必要のない伐り倒しも止めねばならない。

2）小さな小川から成熟した川まで、あらゆる水路には、栽培された樹木や低木で自然の陰ができる岸が必要である。

3）水に関する設備（ダム、発電所、その他）は、水に何が必要であるかを考えて建てねばならない。水の自然の性質を変えてはならないのだ。

4）送水管その他の水の輸送方法は、水の特別な生物としての性質を維持し、成長を促すような材質を使って配備されるべきである。

第4章

森林は地球の生命すべての生と死に関わる重要な役割を担っている

人工の森ではなく自然の森をいかにして維持するか

森が欠かせないものであるということが、ヴィクトル・シャウベルガーにはわかっていました。それは健康な水のため、栄養分を正常に作り上げるため、そして健全な文明を維持するために必要なのです。シャウベルガーにとっての「森」という言葉は、現代の商業のための森とはまったく違います。シャウベルガーの言う「森」とは、自然が混在する森であり、いろいろな生物が調和、共存している場所なのです。１９３０年に彼は次のように書いています。

「健康な森、林業技術の手が入っていない森は、植物の奇妙な混成体である。立派な樹木がしっかり育っている区域には、外見上はっきりと混沌が見られる。それをうまく表現しようとすれば不規則な混乱という言葉があてはまるだろう。
森もそうだ。繊細に敏感に観察するなら、自然界がなぜ無秩序になっているように見えるのかがわかる。しかし、自然界のバランスの重要性に気付かない人は、本人にとって有用ではない区域をすべて取り払おうとするのだ」

近代の林業は、自然な森の生活には無関係となってしまいました。それが森の混沌と成長のバランスすべてを崩しています。

「かつて、自然に成長する健康な森の中で、若い苗木は何十年もかけて育まれていた。人間やその技術に脅かされず、母なる樹木たちに守られ、温度と湿度と光が調和したバランスのとれた環境で、健全に成長していたのだ。

母なる樹木たちが死を迎えると、苗木は成熟期に近づく。そして直射日光と暖かさを楽しむために手（枝）を伸ばし始める。光と暖かさが増すことで、若い木の成長は加速される。年輪の幅が、木の幹を太陽の直接の影響から守っているというのは重要である。初期の成長期間の年輪はとても狭い間隔だが、その幅が広くなっていくのだ。

営利目的の林務官でさえ、光による成長効果に気付き、同様な結果を科学的に出そうと考えた。自然界の秩序はもっと効果的であるのに、彼は成長のための新たな青写真を描いてしまった。

この森林開発のための新技術は、苗木に過剰な光と熱を与え、年輪の幅を過度に広くするものだった。しかし樹木の全領域を荒廃させるシステムに変えてしまうものだった。

その結果、特定の下草が消えていった。これは不利なことではないと考えた。そういった価値のない草を枯らせば、取り除く手間が省けるからだ。

そして、古木たちに若木を守らせるという、自然界が若返る過程で必要なことなどさせず、日陰で育ってきた若木を、まだ敏感であるのに日光に当ててしまった。

すぐ近くの木々が突然取り除かれたことで、モミの木の年輪は㎝幅の劣性のスポンジ状になった。切り取ってみると、年輪の幅に一貫性がないのがはっきりわかる。

乾燥させると、このスポンジ領域は健康な木に戻ろうと縮んでいく。家を建てるのにこのような木を使うべきでないことは明らかだ。こうして科学的な樹芸が導入されてからというもの、最も品質の高い木、いわゆる『よく共鳴する楽器用木材』も完全に消失してしまった。

また、ゆっくり成長する木であったものが、近代の方法で早く成長させられ、年輪幅の判読が困難なほど狭いものになってしまったものもある。自然木は生物として微細な均質性を保つ構造になっている。楽器の素晴らしい音色は（まさにストラディヴァリウスのように）、こういう木で作られた。それはとても健康なだけでなく、耐久性はほぼ無限である。

自然界のプロセスをあからさまなほどに誤解してきたのである。現代の森林業務で生産された木の特性と、自然界の最高品質の木を比較してみればわかる。それは、ほとんど取り返しのつかない損失をしでかしているのだ。

では、どうしたらよいかと問うかもしれない。その技術を約1世紀も使い続けたからこういう大惨事を招いたのである。その責任を取るために、今こそ林業技術を使わねばならない。ほとんどの森を危険にさらしているのだから、自然へ回帰し、自然のプロセスを知ることが今や急務になっている。特に山岳地帯の森は、利用するための資源ではなく、生物同士が手を取り合って各文化を作り上げるために必要なのである。

今日の森林破壊の状況と同じように社会的損失も大きくなっている。科学上の一大進歩さえもが富を得るための巨大資源と化しており、それもまた災難を招くものとなっている。私たちの失敗によるものだということを素直に認め、文化の低下を食い止めるのが遅すぎたようだ。
ある種の木の絶滅が生態の均衡を崩したのは明らかである。なぜならそれによって他の種の消滅をも招くからだ。これで深いところの地下水とそれに含まれる栄養分の供給が減る。材木は現代の建設産業にとって必須である。植樹を強いることは、伐採林業経済にとって必要ではあるが、材木の質は全般的に低下してしまうのだ」

森の自然なバランスが崩れると、周囲に広範囲な栄養障害が生じます。それによって周囲の土地はひどい損害を受けるのです。

「森林地帯の大規模伐採によって、あるいは特定の種の樹木が死んで消失することによって土壌の栄養も減少する。太陽光線は、今や土壌表面に容易に到達でき、その結果、地面は熱せられている。それによって、必須栄養素を含む地下水が上昇するのを妨げられている。また、極めて重要な塩が、苗木の根よりも下に堆積してしまっている。
土壌深くの栄養分に根は達することができない。まもなく植物は減少するだろう。そして、不毛の荒れ地へと変わっていくだろう」

シャウベルガーは、自然の森の根の部分の平均気温はプラス9度になっていると指摘します。自然の成長過程を続けるのであれば、この温度を上げてはなりません。

自然の森は気候風土も改善するパワーエネルギーの貯蔵庫

シャウベルガーは、自然の森は、その周囲の土地全体のパワー・センターだと強く指摘しました。森の木は、それぞれが複雑なプロセスを生じるためのエネルギーに満ちた身体であると理解しました。

自然の流水路は単に植物の成長のためにあるのではなく、地下水を形成するためにもあるのです。そして、エネルギーすなわち「水平方向へ放たれる地上光線」は、自然の流水路からも放たれています。

「近代の森林技術が与えたダメージは破壊的である。さまざまな木や下生えがあるところでは森全体がエネルギーを創造している。しかし、自然の森はエネルギーの交換ができなくさせられてしまったのだ」

またシャウベルガーは、樹木が鉱物処理装置として重要な役割を担っていると述べています。植物は金属や鉱物を集め、生化学的に再処理することで、土や生物の力を引き出してはその力を循環させているのです。

「緑の開いた葉や針状の葉は、すばらしい金属工場である。その操作は実験で示すことができる。開いた葉や針状の葉は地上に落ちることで金属を供給しているのだ。葉は風によって四方にまき散らされ、たくさんの下生えがあるところに舞い降りる。こうして有機金属塩が広く散布され、それが冬の間、雪で下へ強く圧迫される」

こういった金属は「保護層」を作り上げるのに大きな役割を果たします。シャウベルガーは、それが土の中の生命のプロセスにとても重要だと考えました。

それらが地表に細い格子状構造を形成します。それが生物のための広範囲のフィルターとなり、正に帯電した大気と負に帯電した大地を分離するのです。

木々は、植物や人間に必要な金属、特に微量金属を集めます。自然な森を流れる水は、それらの金属のいくつかを運び、周囲の土地に蓄積させていきます。この微量元素が、生きている水の基本的な構成要素になるのです。

森林に気候を改善する能力があることはよく知られていますが、シャウベルガーによると、森林には一連の重要な機能があるというのです。それを彼は「水の揺りかご」と名付けました。地下水が微量な元素や鉱物を抽出し、利用可能な栄養を生じるエネルギーを作るからです。

森林破壊は水の消失を招き、人類含めすべての生物に悲惨な結末をもたらす

世界的に見れば、ヴィクトル・シャウベルガーは、早くから自然森への人的侵略に警告を発した人物の一人です。オーストリアとドイツの最初の世界大戦後、森が強奪されることへの悩みや苦しみを、感動的なスピーチや記述で表明していました。

また、公共事業機関にも懇願しました。それは土地の「最終売り尽くしセール」に世論が気付いてほしいからです。1928年に彼は次のように書いています。

「森とその生命に関して何と言えばよいのだろう？　残念なことに、私の仕事はその死についてしか書けない。

自然界に対して何の認識も持っていないか、あるいは何も感じない人たちの手から、死にゆく森を守る地位にいる人へ警告するのは極めて重要なのだ。

ゲリヴァー地区、デイマンでの伐採作業後の地表の調整（パル・ニルス、ニルソン／トリオ）

人が亡くなるときにはベルがなる。しかし、森が死ぬとき、またそれによって一つの民族が衰退するときには、ベルを鳴らす指さえも上げられることはない。民族の死よりも先に森の死があることはわかっているのに。

森が回復するには何百年もかかるだろう。

一般の人たちは森の特性がゆっくり低下していることに気付いていない。統計上、1ヘクタールあたりの材木伐り出し率は以前より上がっているという。しかし、どこでも森林が見られるので、人々はそれで騙されているだけだ。それで森の特性が恐ろしい割合で低下しているという真実が隠されている」

彼は心を痛めていました。それは、主だった森の破壊によって、水の消失も招くということです。1930年に彼は次のように書いています。

「材木になる木の茂る森林。そこへの無意味な破壊を終わらせようとする意志がある人には、最高の記念碑が送られるだろう。

残念だが、人の生活、そして森の存在に対して、どのような場合も正当に評価されなくなった。

森は神聖な水の揺りかごであり休息所なのだ。この休息所を人が破壊するなら、水は落ち着かなくなり、大最の危険を孕むようになるだろう。

森がなければ水はありえない。水がなければパンもありえない。パンがなければ生命もありえないのだ。

結局、今日の失敗のすべてが、大地、水、そして大気に与えてきた間違いから生じたものだという結論になる」

それは人に利用されずにある森に関することだけではありません。森や水の法則を理解していないために、現在の技術も意味がないものになっているのです。

「水路自身に丸太を運搬する能力がある限り、林務官は斧を使い続けるだろう。しかし、水路が悪化してきたら、危険が発せられたことになる。それは決して大げさではなく、私たちの生活そのものへの警告なのだ。

林務官が森の自然な秩序に干渉しない限り、水はほとんどの森を巡り、森のフルーツ、すなわち材木を、ほとんど経費もかからずに配達するだろう。

他方、林務官（訳注：この場合は森林破壊者）が働きすぎれば、彼の思いは（例えば、大仕掛けの材木伐り出し作業によって）、森が丈夫に育つものだというおかしな信念に変わってしまうだろう。

すると自然界は身を守るために反応し始める。森林破壊はすぐに、唯一の輸送手段である水路の破壊を招くことになる」

大仕掛けの森林破壊が続けられれば恐ろしい結果が至るところに生じます。地下水の水位低下、氾濫による大惨事、思わぬ被害の襲来、農業の衰退――これだけではなく、さらに多くのことが誤った管理によって生じるのです。

「人は、自然の持つ自己調整能力を台無しにし、最も荒っぽい可能性の生じることをしてきた。自然の秩序はどのような機能を果たすのかということや、自然界の運動の法則に関する知識など微塵も持っていないのだ。

肥沃土は人体の皮膚とよく似ている。それなのに、それに通じる森や植物のことについてはまったく無知である。

すべてを利用しようという唯一の目的のために、人は森林開発に莫大な努力をしている。もちろん森林環境を完全に破壊するための資金も投入されている。

最も驚くのは、医療過誤と景気の悪化にもかかわらず、依然として無責任な方法で森を扱っていることだ。それはあらゆる文化に欠かすことのできない森を殺すことを必然的に意味している」

これが書かれたのは1930年代ですが、1980年代でも重大なことです。

「何百万人もが失業して悲惨な状態のときこそ、水路と水の貯蔵庫を見直し、森を再び蘇らせるべきである。そして正しい均衡を取り戻すときなのだ。

そうすれば再び小川は健康な水を供給し始めるだろう。そして文字通り、森を蘇らせるという最後の望みを達成するようになるだろう。

この提案は、自然界とのあらゆる関係を断ってきた怠惰を取り除くためのものである」

シャウベルガーは、自然の森を、水質と栄養分を作り上げる基礎とみなしています。

自然の森が破壊されると、まず、生物にとって必要な水が影響を受けます。続いて、他のすべての生物が影響を受けます。生物にとって必要な栄養分の質は低下し、人々はよりいっそう欠乏症や循環器の病気、また、ガンになりやすくなります。

これこそ、シャウベルガーにとって、森や水の自然なプロセスを中断させることによって生じる論理的な帰結でした。こうして、自然の森を耕作する近代的方法は、人類が生存するうえで大きな疑問を呈することになります。

「健康な森がなければ、健康な水も健康な血液もない。現在の林業と水の管理方法では、生きるために必要なものが、ますます悪化していくだろう」

シャウベルガーは自分の目で、森林地域の破壊がどのように生物の変化を引き起こしているかを見てきました。

ザルツカンマーグトでの体験が残されています。そこには有害だといわれる泉があったのです。それで、放牧している動物が立ち入れないようになっていました。

そこに年老いた狩猟番人たちの会社がありました。シャウベルガーが彼らのところへ行くと、泉に近付いてはいけないと警告を受けました。

しかし、気を抜いた瞬間、シャウベルガーの犬が泉の水を飲んでしまったのです。ところが1時間経っても元気でいます。試しにシャウベルガーも飲んでみました。最初、目がくらむような感じはしましたが、すぐにとても爽快な気分になりました。彼は次のように述べています。

「その泉の近くにヤマヤギの足跡があった。泉の周囲には山の植物が生えており、こすれてマウンテンブーツに薄い油膜が付いた。それがまた澄み切った水の表面にも浮いていた。

特に目を引いたのはアルプス・バラの血のような赤だった。バラがまるで赤い血のような色のカーペットになって泉を取り巻いていたのだ。また、その葉は金粉を吹き付けたようだった。虫眼鏡で見ると薄片の粉であることがわかった。紛れもなくその葉の中に金属が含まれていたのだ。

この高度では、マイナス30度も珍しくない。しかし泉の水は厳冬期も凍らない。老齢のハンターたちは、狐の罠を泉に仕掛けていた。それを苔で隠し、光に当たらないようにする。柔らかくて無臭の餌が凍らずにあり続けるのだ。

気温がもっと下がると、水はそれだけ暖かくなる。マイナス30度の気温で、水温は10度上がる。逆に、特に暑い夏の日では、水はつねにプラス4度の『特異点』に近付く。

最初の世界大戦の直前のことだった。戦争の間、森が約600~800㎡も深く伐採されてしまった。翌春、泉が干上がり始めた。前述した油膜は完全にない。水に新鮮さはなく、近辺の薬草もなかった。そして丈の低い草は死に絶えていた。それをヤギは特に好んでいたのに。

突然、その区域のヤギに疥癬（かいせん）が発生した。この地域には今までまったく見られなかった病気である。しだいにすべてのヤギがその犠牲になっていった。

秩序立った徹底した観察からわかることは、過度の樹木伐採によって地盤が弱くなったことだ。それによって重金属が硬化し始め、水が高く昇ってこられなくなった。そのために、水の内的成長が促されなくなってしまったのだ。

樹木伐採によって、金属を宿す薬草も、もはや繁茂できなくなった。ヤギたちは薬草で血液を再生することができなくなってしまったのだ。この高地では、その薬草が必要だったのに」

シャウベルガーは、ヤギの場合と同じように、長期にわたり森を根こそぎにした影響を人類も受けるだろうという意味で言ったのです。

森へのヴィクトル・シャウベルガーの理解は、次のように要約できます。

1）森はただ原材料の源と見なされるだけではなく、大切な健康の基盤であると考えねばならない。それとともに、水と肥沃なカビ（訳注：原文はカビとなっているが、苔か）の生えた土地があり続けるための極めて重要な存在である。
森は生きている水の揺りかごである。エネルギーを生み出し、近隣区域へも良い影響を与えているのだ。

2）森は、地上と根の部分とが相互関係を保ちながら、たくさんの木々や藪、薬草が自然に成長できるところである。
ところが、自然の森がないと、水の完全循環を終えることができなくなる。完全循環は塩、栄養分、微量元素を作り上げるのに必要である。それがカビ（訳注：苔？）で覆われた地表面の肥料になるのだ。

3）自然の森がなければ、水は土壌の中で育まれることも、泉や小川となって出てくることもできない。
また、森に覆われなくなると、地表は自然な機能を維持し続けられなくなる。

4）自然の森はパワー・センターのようなものである。つまり、流れる水の中にあるエネルギーを周囲の環境へと送り出しているのだ。

5）プランテーションと呼ばれる、いわゆる人の知的な植林、間引き、開墾で、あらゆる生命体は高い質を維持できなくなり、複雑な依存関係が混乱状態になる。
森林開発で水や食料の質が退化することは、人類にとって脅威である。

環境と森林保護、自然の再生促進のための団体グリーン・フロントの創設

ヴィクトル・シャウベルガーは、技術者である息子ヴァルターとともに、1951年、環境保護、森林保護と自然の再生を促進するために、オーストリアで団体を立ち上げました。

この団体、グリーン・フロントは広範囲な呼びかけを行いました。それが有効に働き、オーストリアの信頼できる公共事業はついに森林破壊を終わらせなければならないということに気付いたのです。

1951年、ロンドンの森林憲章会議で、グリーン・フロントのこの二人のパイオニアは、貢献者として表彰されました。

第5章

自然界の永久運動の原理をどのように技術に活かしていくか

自然界は破壊・分解と創造・精製の２種類の運動から成る

シャウベルガーは、１９３９年から材木を浮かせて輸送する施設を建設、使用してきましたが、他の多くの問題にも取り組んできました。水を調整して再生する方法だけではなく、エネルギーを実用化することにも魅了されていたのです。

観察と実験から、自然の働きと人工的な技術との間に差があることはわかっていました。そのうえ、人の技術は生命に関わっていながら、進化を抑制するものであることがより明確になってきました。

大気や水質汚染だけではありません。それも深刻な問題ではありますが、これは二次的なものであり、もっと根本的な問題があると考えていました。森や水、生き物に深刻な影響を及ぼしてきた現代技術の背因、それこそが基本的に良くならなければだめだと考えていたのです。

自然界に大きな変化を与えようが、わずかであろうが、程度の低い結果を引き起こすしかないような技術は間違っているのです。

このことについて彼は長い間考えてきました。そして次のように述べています。

「現代の技術は今の農民と同じだ。彼らは春に７つのジャガイモを植えるのに、秋に一つしか収穫できないでいるのだ」

現代社会が頼っている蒸気や内燃機関の効率は50％にも達しません。エネルギーの半分以上が破壊されるか役に立っていないのです。

なぜ能力を発揮できないのでしょう？　自然界はすぐに答えてくれました。

「あなたたちは間違った種類の運動を利用している」

そこで、水、血液、樹液の循環運動から普遍的な応用法を彼は思いついたのです。自然界には2種類の運動があります。一つは破壊であり、もう一つは創造、精製です。その両者がつねに協力し合っています。

「創造、育成、浄化、増加の運動は双曲線型をなす螺旋である。外側は求心的であり、内側は中心へ向かう運動である。それが自然界の、成長や運動が生じるところではどこでも見られる。宇宙では星雲の螺旋運動、太陽系の運動、水、血液、樹液の自然な流れなどに見られる。

他方、破壊、分解の運動は、自然界では遠心性である。それは運動媒体を直線的に中心から外へ強制的に向かわせる。媒体の粒子は中心から送られるように見える。そして媒体は弱められ、分解し、粉々に砕けてしまう。自然界はこの運動を、活発さを失ったか死んだものを崩壊させるときに使う。

逆に、故障した破片から、新しい調和した形、新しい個性が、集中運動から創造される。求心力、双曲線型螺旋運動は、気温の低下、収縮、集中をするためにある。他方、遠心性の運動とは、気温の上昇、熱、拡張、拡大、爆発である。自然界では、一つの運動からもう一つの運動へと切り替わり続けていく。そして、発展するためには、成長の運動のほうが主であるに違いない」

原子力を含め現代技術すべてが破壊・分解運動だけを追求してきた

これは現在の私たちの技術とどう関係するのでしょう？　シャウベルガーは、これこそ、彼の思いの核になるものだと述べています。その思いとは、現代の技術はすべて、熱、燃焼、爆発、拡大を通して分解することに力点を置いているだけだというのです。

現代の技術では程度の低い結果しか生じないことにシャウベルガーは気付いていました。こうした技術は、破壊や分解を人類がひたむきに追求してきたからです。加熱問題、空気抵抗、断熱、防音壁、それらは人が間違った方向にあるという証拠です。

「石炭や石油を消費する技術は死へと向かっている。石炭や石油は愚かな機械を燃焼させ、環境全

フィリス河に垂れ流された産業廃棄物による水質汚染（スティグ・T・カールソン）

体を毒し、廃棄物で汚染させている。しかし石炭や石油には、他に重要な生物としての役割があるのだ」

今日、こういった見方はさほどおかしなことではありません。しかし、これは1930年代にシャウベルガーが表明した勇気ある意見なのです。現代の私たちは環境危機の真っ只中に住み、技術的荒廃による有害な副作用のことを毎日聞かされています。

悪い運動の利用については、いまだ認められることはありません。人は自然の法則を無視し続けています。破壊の運動を利用し続ければ、世界には混乱と無秩序が現れます。

シャウベルガーの考えが正しければ、排ガスフィルターやサルファー・フリー・オイル（超低硫黄油）、また絶対に安全な原子力発電所の開発の研究は、ほとんど功を奏しないものです。あらゆる生命に破壊的な影響を与えなくすることなど誰にもできません。破壊的な影響力は爆発を使う技術、そして原子の分解を利用した技術から生じます。

生命と自然エネルギーの活動法則――内破と反磁性とは何か

シャウベルガーは、他の方法を実演したかったのです。それは生物工学の方法です。空気や水からエネルギーを確実に得るために、サイクロイド運動を利用するものです。逆に、原子の破壊による核エネルギーの開発は、私たちの社会を完全な破壊へ向けることになります。シャウベルガーは晩年、差し迫ったカタストロフィーに私たちを目覚めさせようとしました。

「(目的を) 広く知らせなければならない。そして特に政府の面前に次の事実を突き付けるべきである。それは、エネルギーに関するアインシュタインの理論は、原子を破壊することによって利益を得るものでしかないということだ。原子の破壊は自然への犯罪である。しかし私たちは、内破という生物工学によって原子の力を使えるのだ」

シャウベルガーは、「内破装置」によって自然界の内破を繰り返す研究をしました。その装置は燃料を必要としない独特なものだと彼は主張しています。

「この発電装置は、燃料を使う他の発電装置などより、9倍も多くエネルギーを得られる。燃料を使う爆発モーターを使っているために、地球の資源とそのエネルギーを得るための奪い合いが続いており、それが命に関わるものになってしまっている。現代のモーターは遠心的に機能するものだが、内破モーターは求心的に機能する。それは水や空気の反磁性を使用して、それ自身で稼働源を生じる。そのため石炭、石油、ウラン、原子を破壊して得られるエネルギーなどを必要としない。

なぜなら、生物として必要な手段を使うことによって、ほとんど費用もかからず、無制限にそれ自身のエネルギー（原子の力）を産出できるからだ。

エネルギーには2面性がある。一方は生物電気であり、**破壊的力**である。また、他方は浮上する生物磁気、すなわち**上昇力**である。地球の媒体は水や空気であり、そのエネルギーを使えば回復効果が得られる。そのために必要な運動を利用すればよい。そうすればエネルギーを自由に取り出せるのだ。それが見落とされてきた」


シャウベルガーは自然現象を説明しようとしました。つまり自然界で使われている内破力、それに関連する「反磁性」などについてのことです。


「最も基礎となる、基本的な要素である水素や酸素から始めよう。それは水や空気の主なる成分であり、次のようにお互いに対抗するものである。

水素（H）が冷やされ、受動的な酸素と組み合わさると活動的になる。それは『生物磁気』として、上昇や成長に使われる濃厚なエネルギーの集中形体を産み出す。反磁性によるこの上昇力は引力と反対に働く。水素ガスは、ツェッペリン飛行船に満たされ、毎秒2㎞の上昇力をもたらした。

とりわけ『自然の活動』はこの二つの働き（上昇力と重力）から成り立っている。それで、生物磁気つまり植物の上昇力は光に引き寄せられて成長する。同時に植物の重量が増すことで重力にも従っている。

鉄や鋼が磁気に引き寄せられるように、水素と酸素という元素は生命を維持するために欠かせない、貴重な微量元素である。それは水や空気の『染色体』であり、反磁性に引き寄せられる。また、電気と反対側にあるものだ。新鮮でない水は生物磁気によって再活性されて体積が増すのだ。

逆に、酸素（O）は熱によって活性化される（オーブンは酸素によって燃焼する）。そして受動的な水素（H）と結びつき、分解をもたらす分散エネルギーを生じる。これが爆発で起きることだ。圧力、加熱、爆発が行われるときにはいつでも生じるものであり、特に、戦争でも平和利用でも、原子の破壊利用や武器にも使われている。

熱は、分解をもたらす水のエネルギーの最も低い次元の形体である。分子が結合するにつれて熱が生じる（優位なHはOと結合する。OがHと結合するのではない。それはあたかも生物の成長に必要であるかのようだ）。それから（植物の樹液や血液のような）水は、（酸素の過剰による燃焼のために）新鮮味を欠き始め、高品質な特性が欠如してくる。生物の高度な形態（訳注：人間）が有する自然な回復過程を無視して腐敗が始まり、ガンが生じ、やがて腐敗した成分そのものになり、病原菌が増殖する。

物理的、化学的、そして精神的な質の低下によって、分子はガンを成長させ、熱を出す。あらゆるエネルギー（熱、電気と磁気、反磁性）はエネルギーの双曲線型の運動によって生じる。

全宇宙は生きた生物で構成されている。それらはほとんど努力もせずにハンマー、ハサミ、手斧、ネジ、爆発物を人が操作することによって束縛できる。

しかし、もっとわずかな力で豊かに創造することもできるのだ。『永遠の女神』が使うのは圧力ではなく、引力である。それで負の圧力である反磁性という負電気について語ることができるのだ」


「『吸引螺旋』『吸引タービン』の原理は同じである。それは川のねじれ運動のようなものであり、地球の自転と公転によって生じるものである。川では、流れる水があちこちへ放り投げられ、回転し、よろめく。まるでロープを編んでいるときのロープのように動く。

それは渦巻、螺旋の流れとなり、そこで水は自身の軸を中心として回転しながら凝縮していく。するとそこが負の圧力となって真空が生じ、水を吸い込む呼吸となる。それで冷たい空気の流れが生じる。これは『気温低下現象』であり、物理学では機械的に作ろうとしてこなかったものだ。

しかしそれが吸引タービンで作り出せる。それは古代の原理を再発見したものである。

問題は解決できるのだ。今や私たちは、現在の『火の技術』を転換する位置にいる。破壊の一つ、それを生命の技術に変換し、爆発モーターを内破へ変えることができるのだ」


シャウベルガーはこのエネルギーを狭い範囲に限定して考えませんでした。広範囲にあらゆる生命に適用できるものと考えました。

「この分解エネルギーを――自然界では抵抗力であるが――、機械的な遠心力によって生み出しているなら、それは自然界への容赦ない反抗となり、ガンが生じる可能性を高める。そこでようやく自然界を操作してはいけないことに気付く。長い目で見れば、それで私たちは生き残るチャンスを与えられたことになるのだ」

シャウベルガーは、人々が爆発の原理を信頼し、使い続けることをいつも疑問視していました。方向転換して、建設的なエネルギー開発を進めるなら、人類は自然界が創造し発展していく様子を維持するようになるでしょう。

「空気と水の自然な求心力を使うことで、閉じ込められていたエネルギーを負の圧力で活性化できるだろう。

水と空気の微量元素である（空気と水の）『染色体』は、そこに含まれている原初生命としての高度な形態から原子分解エネルギーを送り出す。それはただ活性化するための刺激でしかない。ところが、これによって成長の全過程が促進されるようになるのだ」

第6章

危険な廃棄物を生み出さない生合成と内破による新たな技術開発

生きている水の消失や廃棄物など負の遺産を引き起こす仕組み

エネルギーを生み出す従来の方法は、どれもが破壊と結びついたものであり、廃棄物という副産物を生み出すものです。それだけではなく、生命体に敏感に影響を与えるものなのです。シャウベルガーは、特に化石燃料、石炭や石油の利用には批判的でした。しかし石炭や石油は、健康な水を作り出すのに欠かせないものだと考えてもいました。

地球の石炭や石油資源を略奪し続けると、それにつれて水も消失していきます。石炭や石油は原初生命形態の価値の高い微量要素を含んでいます。原子力、つまり原子を破壊すること（原子核分裂）、それを彼は生命の、最高度の段階と最後の苦難との間にある分岐点ととらえていました。

またシャウベルガーは、水力発電施設に対しても――その有害な影響ははっきり現れてはいませんが――、批判的でした。水本来の自然な構造がタービンを通過すると壊れてしまうというのです。タービンの鋼が水に有害な影響を与えるのです。それによって水は不自然な動きを強いられます。彼はオーストリアの山岳農民に対して「自分たちの土地を灌漑するなんて不幸せな人たちだ」と言っていました。その水は発電所のタービンを通り抜けてきたものであり、すでに貧弱になっていたからです。

「この狂ったメリーゴーラウンドの中にいる首謀者とはエネルギー技術者である。石炭、それは地球のパンであり、水、それは地球の血液だ。それを多量に発見すればエネルギーの供給者になれる。最初のわずか数十年間、人はこの偶然発見された富に浴していた。しかしすでに、力を供給する水の効率は失われ、地球は破壊的な循環を引き起こすようになってしまった。人がとてつもないエネルギーに骨折るとき、それによって苦難も増しているのだ」

危険な廃棄物を出さない生合成による新自動車燃料

爆発の技術に代わる一つの案があります。シャウベルガーは新自動車燃料を研究しました。それは普通の燃焼エンジンとして使えるものですが、危険な廃棄物は出しません。

彼は、建設的な双曲線型運動をする水には、新たな合成物を生み出す力があることに気付いていました。そこで「生きている水」の実験に使った装置を作り直したのです。それは燃料に最適な炭化水素を合成するものでした。高エネルギーを有するものは、低品質の原材料で作れるはずだと感じていたのです。

そして彼は装置で微量の石油に似た物質を作り出したという噂が立ちました。また彼自身も「リパルセーター」という装置で「高性能の水」ができると言及しています。

「水をシリンダーへと噴出させ、そこに天然の酸素を与える。すると下降ピストンで生じるわずかな熱の圧力で、高性能の水をガスに変えられるのだ」

この「高性能の水」から出る排ガスは通常の空気とよく似ており、そのうえ毒性がありません。しかし、この実験をするには大きな問題がありました。慎重に操作しても、安定した結果が得られなかったのです。

マスのタービン——螺旋状の運動を促す「内破」装置の威力

シャウベルガーはある装置を作ることにしました。それは空気や水から直接エネルギーを生じるものです。

1931年～32年の間、彼はウィーンから来た技術者のウィンター博士とともに研究しました。しかし好奇心を満たすだけでしかありませんでした。そこで、山の水流を泳ぐマスについて再度考えることにしたのです。

マスはどうやって水のエネルギーを利用しているのでしょう。最終的に、彼は問題を解決したと確信するに至りました。マスは口から水を取り入れ、エラから出しています。エラの先端の角度を調節することによって、水は（双曲線型求心螺旋運動をしながら）強力に流れるのです。エラのわずかな動きによって、水は、シャウベルガーの言う「少年」の水という触媒に変わります。

それで新たなことが身体の形から生じます。エラから流れ出た水は流線型の身体に沿って流れ、周囲の水に力強く働きかけます。これは、自然な水の流れを抑えるほどの、新たな水循環を引き起こします。エラでこの圧力を調整することで、マスは跳ねたり、稲光のように流れに抗して動けるのです（第1章も参照）。

彼は鳥の翼にも同じような効果があることに気付きました。飛行中に空気が羽毛を通過することで、上昇気流による強力な反対向きの空気循環が作られるのです。

それによって鳥は上や前方へと運ばれます。鳥は飛んでいるのではないとシャウベルガーはよく言いました。鳥たちは飛ばされているのであり、そして魚は泳いでいるのではなく、泳がされているのだと言いました。そして、こういった現象を自分の装置で複製しようとしたのです。

シュタインハルトと一緒に研究した後、新しい人物は雇いませんでした。現代の技術開発の危険性を警告し、また研究に没頭したかったのです。

そして1930年代になると、多くの評判が寄せられました。「生きている水」を生み出す丸太用人工水路や彼の強硬姿勢について、興味や反対の声があがってきたのです。そして研究できなくなるのを期待する声が高まっていきました。

困難な状況下で、マスの現象を真似た装置を作る努力は続きました。初めはそれを「マスのタービン」と呼んでいましたが、後に「内破」装置と名付けました。

この装置は、水や空気を特別な材料で作った螺旋状のパイプ――その断面も特殊な形をしているもの――に直接通すものです。

入ってきた水や空気は、ある回転数で螺旋状の運動をさせられます。するとエネルギーが解放されるのです。シャウベルガーは原子レベルの反応を当てにしていたのでしょう。それは水素核融合と何か似ているものです。

しかし、暴力的に水素原子を圧縮してヘリウムを生み出し、エネルギーを解放しようとするものではありません。シャウベルガーは、抵抗なしに水や空気を、「ネジが回転するように」縄をなうように動かしたのです。それは自然界で発見したのと同じものでした。

彼は二つの装置を作りましたが、一つは壊れてしまったと言われています。噂によると、とても

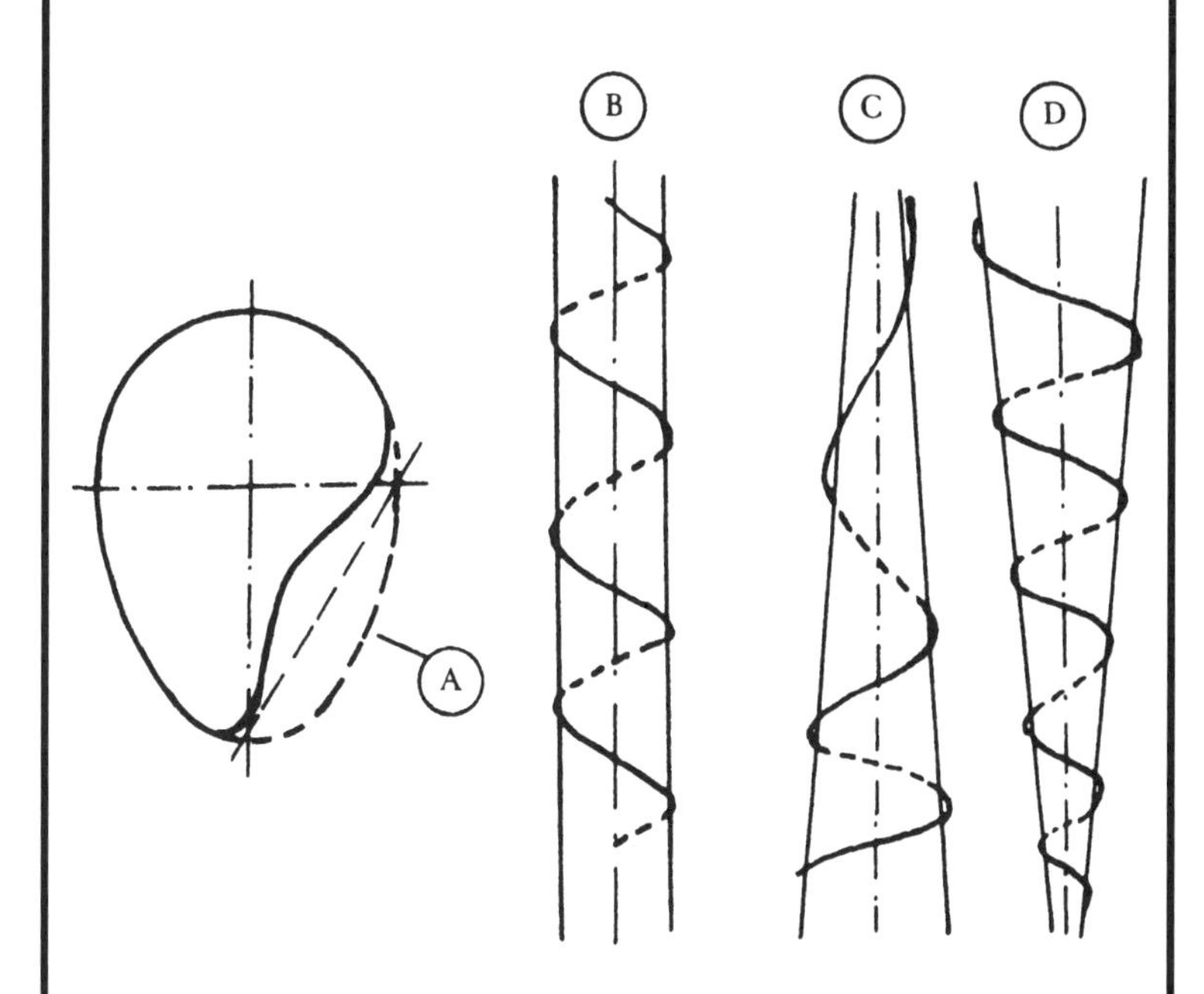

液体とガスのためのパイプ。このパイプは「マスのタービン」でも使われる。(A)(B)(C)(D)はさまざまな形の螺旋状パイプ断面図。円筒形や円錐形の物体周囲に巻きつけたもの。(オーストリア特許 19 66 80)(訳注：他書では第11章のペーペルとの実験に使われた銅の球状螺旋パイプとして説明されているものもある。つまり、物体周囲に巻きつけたものではなくパイプそのものとして、(A)が径方向の断面図、(B)(C)(D)は進路方向の断面図そのものとして解説されている。)

強力なエネルギーが突然解放されたために、装置が土台から解き放たれて天井に打ち付けられたのだと言われます。エネルギーをコントロールできなかったのです。

誰にも作り方を話さず、単独で実験をしていたので、その装置と実験の詳細に関してわかっていません。

このような装置の横に立っている彼の写真があります。それはおそらく「家庭用発電機」と名付けたものの一種でしょう。

「マスのタービン」によって、電気モーターの小さな出力が何倍にも増加されました。それによってもっと大きな電気発電機を運転したのです。

その装置を組み立て、真空に密閉された容器内にある円錐形物体を回転させました。特殊なパイプが、下へ先細りになったその円錐形物体の周囲に巻いてありました。

円錐形物体を小さなモーターで回転すると、上から入ってきた水がパイプを通って流れていきました。パイプの形状と螺旋状になった経路によって、水はパイプの中心に向かって「ネジのように回転させられていきました」(第7章152頁の写真参照)。

そして低いところにある出口から水は噴出していきました。それには大きな圧力がかかっており、ものすごい速度で出ていきました。これによって発電機に電気を供給するタービン・ホイールへ力が伝えられました。

この装置の特色は、投入したエネルギーが増幅されることでした。出口から出た水は、再循環するためにシステムの上部へと上がっていきます。シャウベルガーによると、重力を否定する生物磁気で強力にチャージされているので、水は上がっていけるのだというのです。

シャウベルガーはまた、航空機のエンジンも開発しました。それは同じ原理で動くものですが、燃料は空気でした。飛行しているときには空気を吸い込み、それを燃料に変えるのでしょう。そして同時に、抵抗なく飛行し続けるために、前方に真空を作り出すもののようです。

こういう装置は本当に動いたのでしょうか、あるいは単なる空想だったのでしょうか？「家庭用発電機」の決定的な証拠はありません。シャウベルガーによると、いくつかのものは少なくとも部分的には動いたということです。最も親しい仲間でさえ、彼の実験に出席することは許されませんでした。親しい仲間のバウエルは、その「家庭用発電機」は機能したかもしれないというように結んでいます。

航空機エンジンに関してはいくらかわかっています。第二次世界大戦の初めまでにモデル実験は成功していたように思われます。アロイス・コカリは、戦争が始まってからシャウベルガーのために働いていたと話してくれました。

シャウベルガーは、「生物工学的」な方法で操縦される「空飛ぶ円盤」を開発していたというのです。

コカリはドイツでそのエンジンの特定の部品を製造していました。それはオーストリアでは入手できないものでした。それをウィーンに住んでいたシャウベルガーへ運んだのです。ウィーンにあるケルトルと呼ばれる会社へ運んだのですが、そこでは、このプロジェクトでシャウベルガーと一緒に「高い権威」が働いていました。コカリが部品を持って会社に到着すると、何か敵意を感じました。

ケルトルのチーフが最終的に受け取ると、苦々しげに次のように言われました。

「これはシャウベルガー氏のために高い権威が頼むしかなかったものだ。終えたら町から出て行かなければならない。というのは、はじめのテストで工場の屋根を突き抜けて行ってしまったのだから」

シャウベルガーは、1945年には航空機と潜水艦のエンジンがすでにできあがっており、モデルが作られていたと書いています。さらなるテストは第二次世界大戦中に行われました（第8章参照）。

第7章

水と空気だけで
エネルギーを生み出す
夢のテクノロジーの実現へ

シャウベルガーの超次元的な技術・発電機に注目したヒトラー

工業界の大物、ブレーメン出身のロゼリウス氏は、１９３４年のシャウベルガーの「生きている水」に関すること（訳注：第３章に出てきた初期の水精製装置の図）を聞いていました。それで、ドイツでその権利を取ろうと連絡を取ってきたのです。独創的な技術を持ち、奇妙な発明をしているオーストリア人のことをヒトラーが知ったのも、ロゼリウスを通してでした。

オーストリアは当時まだ併合されていませんでした。それで両政府間の空気は何か張りつめたものがありました。

ある日、ドイツ大使館からヴィクトル・シャウベルガーのもとへ、ヒトラーに謁見するためのビザを受け取りに来るようにと要請がありました。

シャウベルガーはヒトラーに会いに行きました。ヒトラーはシャウベルガーの初期の活動に熟知していたので、そのアイデアや科学的調査の詳細な説明を要求しました。

シャウベルガーはこの会合が二人の間でだけ行えるように願い出ました。このことは受け入れられましたが、ヒトラーの書斎に入ると、カイザー・ウィルヘルム研究所の幹部職員、閣僚理事のウィルフンもいました。

シャウベルガーは、1時間も妨害なしで語ることを許されました。シャウベルガーはヒトラーと辛辣（しんらつ）な議論をし、また技術者たちの誤りを指摘し、ヒトラーの4年計画で何が誤りなのか話しました。

話し終えるとヒトラーが聞いてきました。

「我々が現在持っている技術や発電機を、君はどう改善できるかね？」

シャウベルガーは答えました。

「施設とスタッフが必要です。そして資材が。

そうすれば数カ月でエネルギーを生み出せるでしょう。

そしてそれが最高の効率を上げるものであることがわかるでしょう」

ヒトラーは尋ねました。

「君の発電機の燃料は何だね？」

シャウベルガーは答えました。

「水と空気です。必要な力がすべてそこにあります」

ヒトラーはボタンを押しました。すると経済顧問のケプラーが入ってきました。

ヒトラーは言いました。

「このオーストリア人はとてもおもしろい人物だ。

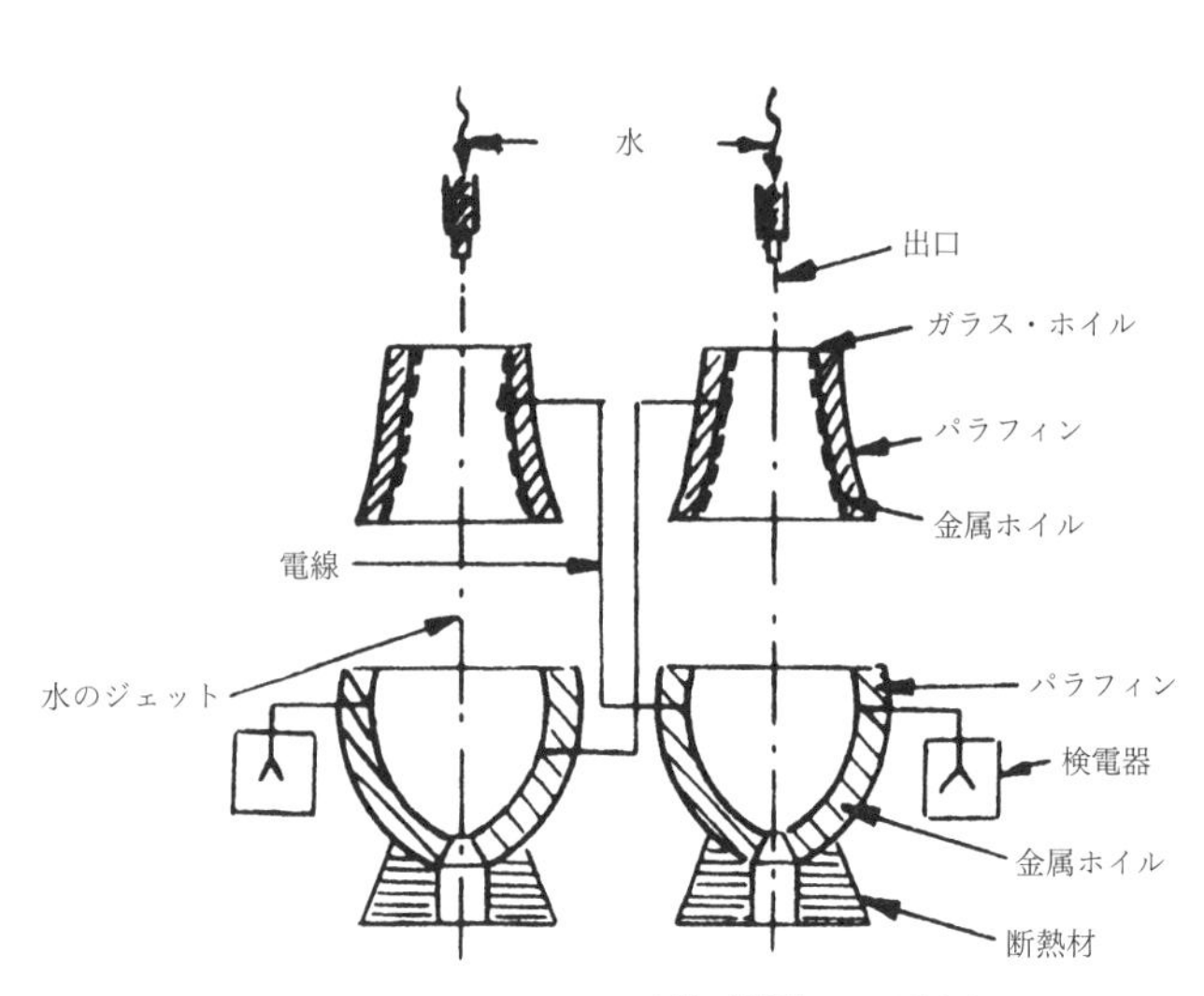

ニュルンベルクでの実験（「内破」No.6より）

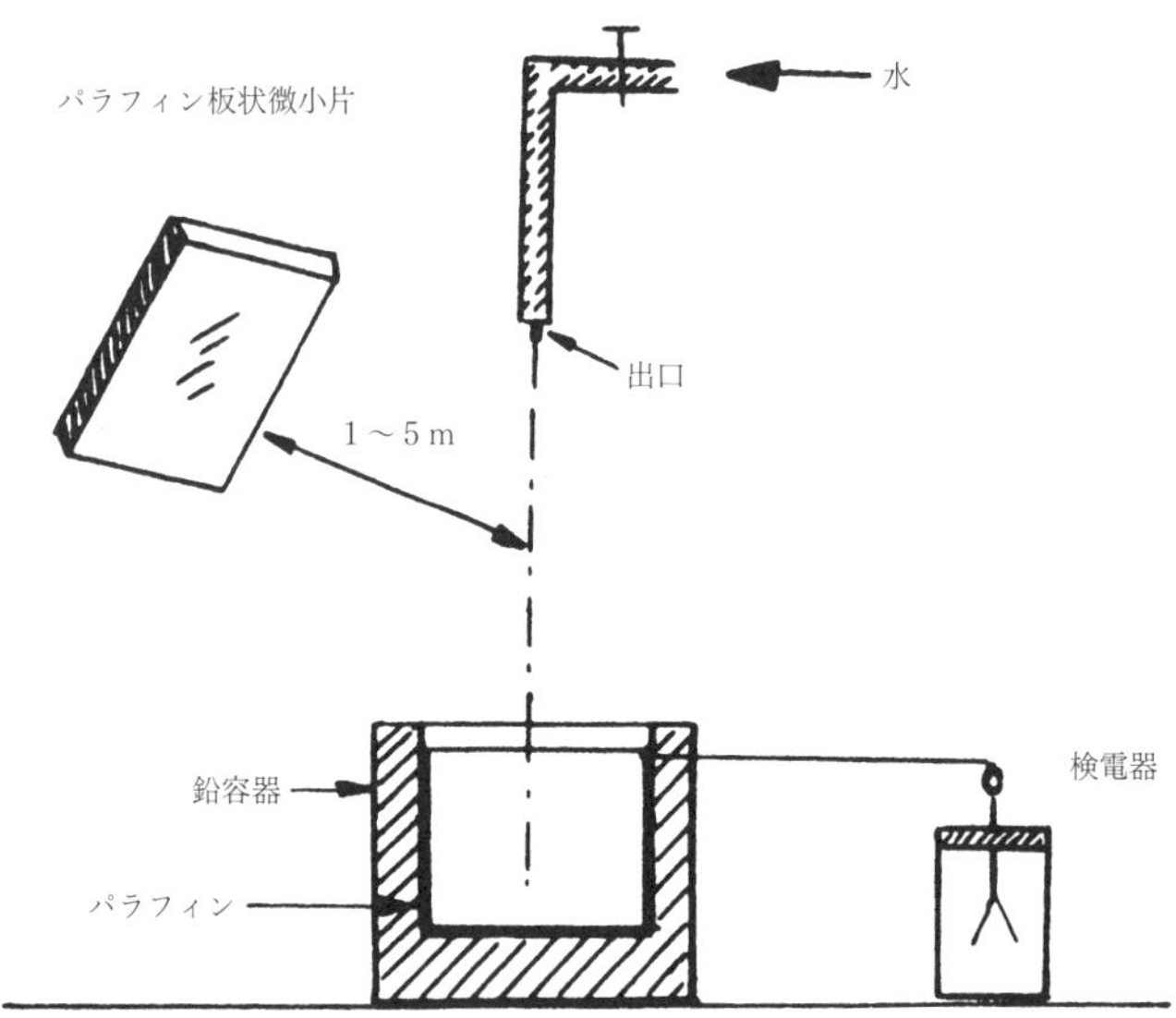

簡単な水の流れの実験。パラフィンの板状小片が流れのそばに置かれる。検電器で測定する。

彼が正しいということを証明するための援助を惜しまないように」

それから彼はシャウベルガーに友好的に別れを告げました。ケプラーにも見送られました。

シャウベルガーがドアから出た途端、ウィルフンはシャウベルガーに憤慨して近付いてきました。

「お前はヒトラーに取り入ってもらおうとよく見せていただけだ。おかしな考えを羅列しただけじゃないか」

嵐のようなやり取りをしたのち、シャウベルガーはホテルに戻りました。そこで彼は高官からさらに一枚の召喚状を受け取りましたが、オーストリアにすぐ帰ることにしました。長い間、気落ちした状態でいました。ベルリンへ行かねばならないのに「下役のウィルフンに虐待された」ことに気が動転していました。

この時点では、彼とヒトラーとで合意したことは行われませんでした。しかし数年後、シャウベルガーが第三帝国に忘れられていなかったことがはっきりしたのです。

水流から電気を得る実験装置で高電圧が生じた！

1938年、ドイツはオーストリアを併合しました。まもなくして、シャウベルガーは通知を受け取りました。

ジュリアス・シュトライヒャーからのもので、シャウベルガーにとって必要なものをヒトラーの命において承諾するというものでした。

ババリア、北オーストリア、そしてボヘミアの森から木を伐り出し、それを浮揚させて送る建造物を作るために1000万マルク与えられ、また、ニュルンベルクのコトシャウ教授の研究所が提供されることになりました。


シャウベルガーは息子のヴァルターに手紙を出しました。彼はドレスデン工業大学での卒業試験を終えたところだったので、実験を手伝ってもらうためにニュルンベルクに来るように頼んだのです。ヴァルターは父親の理論すべてを受け入れることの難しさがわかっていたので、幾分懐疑的でした。しかし、やがて彼は父親の正しさに確信を持つようになっていきます。


二人は実験を続けました。それは、シャウベルガーが以前、ウィンター博士とともに、水流から直接電気エネルギーを取り出そうとしたものでした。

まず、彼らは太い排出口から出る高圧水ジェットを使いました。しかし成果は得られませんでした。

ヴァルター・シャウベルガーは条件を逆にしてみました。とても細い排出口を使い、低圧にした

上：アドルフ・ヒトラーは、シャウベルガーの驚異の技術原理に注目していた。
下：オーストリア併合後にパレードするヒトラー（ウィーン市内）。

ヴィクトル・シャウベルガーと、彼の発明した家庭用発電機（1955）。

のです。

すると電気が起きました。電圧は5万ボルトに増大できました。ジュリアス・シュトライヒャーは感銘を受け、この現象を説明するために工業大学から一人の物理学者を呼びました。

彼は装置につながる電源からの線を調べることから始めました。それがないのがわかると、ヴァルター・シャウベルガーに、どこに隠したのかと食ってかかりました。

水だけで高電圧を生じるのが信じられなかったのです。しかしついに、何のトリックもないことがわかり、その現象が説明できないことを認めました。

ただ、この水流の実験は、そのときには何の実用的な成果は得られませんでした（訳注：ケルビンの静電発電機に似たものだが、いくらか改良されている。ケルビンは19世紀の物理学者、本名はウィリアム・トムソン）。

第8章

銀色の光を放った「空飛ぶ円盤」の推進原理はこうなっている

精神疾患の患者に仕立て上げられそうになったシャウベルガー

戦争でニュルンベルクの実験が中断されると、シャウベルガーはオーストリアに戻りました。時を同じくして息子は徴兵されていきました。

しばらく後、シャウベルガーは健康診断を受けるように命じられました。年金の支給開始年齢が近付いていたからです。しかし、工学と建築の協会が、この背後で健康診断を操作していたのかもしれません。

疑いもせず、指示された場所へ行きました。ところが、そこから「特別検査」のために他のクリニックへと連れていかれたのです。そこはメンタル・ホスピタルでした。ショックと狼狽(ろうばい)の中、突然、面接が始まりました。

敵が自分を無力にしようとしていることがわかりました。そこで、逃げる唯一のチャンスは落ち着いて冷静でいることであり、いらいらしないことだと自分に言い聞かせました。

長い待ち時間の後、若い医者の診察を受けました。医者はわずかな問診をしただけで、患者が完全に正常であることを認めました。

そして上司のフェツル教授を呼び、今置かれている重大な精神疾患の患者がいるところから、シャウベルガーをすぐに出すべきだと言いました。

テストに合格し、まったく正常であることが確定した後、ワグナー・ジャウレッグ教授のところへ連れていかれました。さらにテストが行われ、完全に正常で「高度に知的」であると認めて解放されました。

フェツル教授は誰が自分のメンタル・ホスピタルへシャウベルガーを差し向けたのか発見できませんでした。この事件に関するいかなる文書も発見されていません。

「空飛ぶ円盤」プロジェクトで得られた情報データは闇の世界へ

しばらくして、シャウベルガーは召集を受けました。それは1943年のことで、さらに年のいった男も徴兵されていました。

結局彼はイタリアの落下傘会社を管理する司令官に任命されました。しかしわずかな滞在後、ウィーン・ローゼンヘーゲルにあるS.S.(ナチス)の研究所に来るようにとヒムラーの命令を受けました。

到着すると、さらにマウタウセン収容所へ連れていかれました。そこでS.S.の部隊リーダー、ツァイライスと会うことになっていたのです。

彼はヒムラーから個人的な挨拶状を持っていると言いました。

「私たちはあなたの科学研究を調べ、そこに何かがあると信じています。ここで、捕虜の中から技術者と医者の科学チームを組織できます。そして発見しているエネルギーを利用した機械を開発しなければなりません。さもなければ首を吊ることになるでしょう」

シャウベルガーが、自分が組織するという方法を取ったのはもっともなことです（彼を助ける者たちが囚人とみなされなくなるようにそうしたのです）。それで一定期間、集中した研究が始まりました。S.S.の研究所が爆破されたために、ここで研究が行われることになったのですが、シャウベルガーと彼のチームはリンツの近くのレオンシュタインへと移されました。

彼らが始めたプロジェクトは「マスのタービン」で推進する「空飛ぶ円盤」でした。シャウベルガーはその原理をはっきり理解していました。

「水や空気が『コロイド状態』として知られる振動、すなわち曲がりくねる回転をさせられるとエネルギーが形成され、それが巨大な浮揚力となる。この運動は発電に付随するものである。この原理によれば、ほとんど原動力を必要としない、理想的な飛行機や潜水艦ができる」

研究の成果は驚くべきものでしたが、成功も失敗もありました。ヴィクトル・シャウベルガーは、このことを後に、1956年2月28日に西ドイツの防衛大臣シュトラウスに宛てた手紙に短く述べています。

「どちらかというと、初めのほうが良かったようだ。というのは、ほぼ1年後、最初の『空飛ぶ円盤』は突然浮上したが、1回目の試みで天井に到達し、めちゃめちゃに壊れてしまった。数日して、アメリカのグループが来た。彼らは何が起きたかわかっているようだった。そしてすべてを奪っていった。

やがて、高級将校が綿密な調査を行い、私は保護拘置されてしまった。そして約6カ月間、少なくとも6人の警官にガードされていた。その装置の重要な部分は、ロシアの私のアパートにあった」

これに関する円盤の様子も述べています。

「その装置は最初の試験で作動した。上昇し、青緑、それから銀色の光を放ったのだ」

ロシア人は、シャウベルガーのアパートを出てから爆破しました。たぶん、彼らが見落としたかもしれない、いかなる情報も発見されないようにするためでしょう。
彼に関係した幾人かの科学者は、その後ソ連になったロシアの戦争捕虜になりました。そして、ロシア人が宇宙空間のロケット工学に関して偉大な進歩を成し遂げたときには、シャウベルガーのアイデアが使われたという噂が広まりました。

レオンシュタインで壊れた「空飛ぶ円盤」は直径1・5m、重さ135kgのもので、20分の1馬力の電気モーターで始動するものだったといわれます。離陸するためのエネルギーを供給するために「マスのタービン」が使われたのです。

このテストで働いていた人すべてがシャウベルガーのように面接されました。1956年、彼は次のように書いています。

「戦争の終わり頃、占領していたアメリカ軍に1年近く閉じ込められていた。彼らは原子エネルギーを取り出す方法を知りたかったのだ。解放されても、再逮捕するぞと脅されて、原子エネルギー分野に関するいかなる研究、新たな局面にも再び取りかかることを禁止された。
極東の平和条約調印後、私は再び研究に取りかかった。戦争終結までに自分の財産を失っていたので、研究はゆっくり進めなければならなかった。いかなる外国の金融支援も断った。それが実用

①

②

③

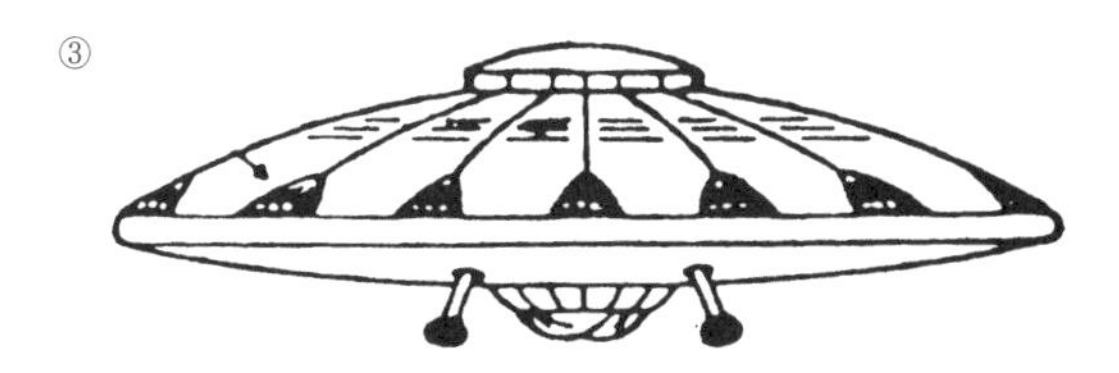

④

①1943年から1945年の間に開発された「シュリーファー・ハーバーモール」空飛ぶ円盤。1944年には、3.12分で垂直に12㎞上昇、１時間で水平に2000㎞飛行した。
②最初のテスト機は1941年から1942年の間に開発された。図①と同じような飛行性能を持っていたが、人が操縦するには不向きだった。
③「バレンツォ・シュリーファー・ミィーテ・ディスク」。ゴムでできた着陸用の脚がついている。３人の乗員が搭乗した。
④「空飛ぶ円盤」に関するシャウベルガーのモデル。

モデルの遅れた理由だ。しかし特許を取得してから、この問題は解決した」

解放された後、ヴィクトル・シャウベルガーはリンツに引っ越しましたが、そこでの研究は資金不足にいつも悩まされていました。「ポケットに小ナイフと数ペニーしかなければ、多くを成し遂げることなどできやしないさ」と彼はよく言っていました。

第9章

地球の大地と大気のエネルギー法則に合致した農業技術とは

現代農法は無価値な農産物を生み出し続けている

第二次世界大戦終結後、シャウベルガーは農業に大きな関心を寄せていました。貧しかったにもかかわらず、この地域にどうやったら貢献できるか考えていたのです。森林や水路の破壊は、結局人間に害を及ぼします。そこで彼は、森林や水路の破壊こそ、土壌を肥沃にする生命のプロセスを、そして自然の栄養物ができあがるのを妨げるものだと悟ったのです。

「農民は林務官と協力して働くが、地球の血液は絶えず弱っている。そして土壌の生産性は減少している。幸いにも人々は肥料を施す必要があることに気付いてはいるが、今では化学者が現場に立ち入り、自分の持ってきた塩を四方に撒いている。

ほんの数年で、人工肥料で処理された土が無価値なものへと変わっていく。自然界に対抗して働き、幸せそうに、最後に残る栄養源である土壌の毛細血管システムを切断していくのだ。

これまで農民は本能的に深い鋤（すき）を使い、土壌の毛細血管システムが破壊されない方法を探ってきた。ところが今では、農民が作物を豊富に収穫していたところが悪化し始めている。

現在、同じことが森で起きている。表面的にはさまざまな物が熟し、繁茂しているように見えるが、それは外見でしかない。熟すものは腐敗した土地から現れている。腐敗の成果はガンとなる。

強かったトウモロコシは弱くなり、牧草地は苔で覆われている。畑に産物はない。ただ働き、その費用がかかっているだけだ。終いには土の団粒構造は消え失せ、自作農場も消え失せていくだろう」

シャウベルガーは自分が何を話しているのかわかっていました。生涯を通してアルプス斜面、シュタイアーマルク、そしてザルツブルクの谷で農民と暮らしてきたからです。

最良の森が存在し、水路が手つかずのままだった頃の、畑の状態や収穫の様子を見てきました。そして、森林伐採が始まり、水は当然退廃し、そうして何が生じたかわかっているのです。

彼は年配の農民の伝統的な方法や、彼らが成し得た成果を慎重に学んできました。それを新しい、いわば、当時広まっていた農業の合理的方法と比較しました。最新の方法はお世辞にも褒められるものではなかったのです。

シャウベルガーにとっての成長過程とは、エネルギーの充電と放電を繰り返すことです。成長とは、何回もの充電がバランスよく行われている状態とみなしました。またそのためには、水と大気との間の電位差が基本的に重要でもあります。

充電を起こすには、電気を持つ2者の間に何らかの絶縁材が必要です。そうでなければ短絡が生じるからです。それは不経済なだけです。

シャウベルガーはこの絶縁材について多くのことを述べています。それは地球の「皮膚」として、周囲になくてはならないものなのです（訳注：土のこと）。また、その形成についても述べています。それがどのように減っていくのか、また、どのように再構成されるのかということです。「土壌はその下がむき出しになるほどはがされてはならない」。それが黄金律の一つです。それはいつも植物（の根）や他の物を覆っていなければなりません。

また水の品質は、水の成長過程を左右するほど重要です。森の優れた水源が破壊され、水路が汚い遺物に変えられてしまうなら、水はもはや重要な大地電位を取り戻すことができません。それは病原体の形成を促し、寄生する菌から病気が発生し、もっと質の低い産物が増えることになります。

生命に友好的だった古き伝統農業に耳を傾けること

シャウベルガーは、収穫を増やすために昔の農民が使った伝統的な方法をよく振り返っていました。例えば、あるとき彼らは細かく刻んだ針葉樹の枝を土に加えていました。そこに貴重な微量元素が含まれていることなど、彼らは知らなかったのに、そうしていたのです。

「おそらく貧しい農民たちは、これにはミュールヴィールテル（バイエルンの森林地域）の高地の森に住む農民たちも含まれるが、約40年間も、最良のジャガイモや最も重いオート麦を栽培してきたのだろう。

どうやってそれができたのかと農民に聞くと、苦笑いしながら、お前もそうすればわかると答えるだけだろう。

つまり、農業で幸せになりたいのなら、どのような近代的な指導も避けて通り、その土地のはるか昔の教えに忠実になることなのだ」。

シャウベルガーは年のいった農民と交わるのを好みました。そして彼らもそうでした。随筆、「自然農業」の中で、彼は年のいった一人の農民を訪問したときのことを詳細に述べています。その地区では誰もがその農民のように収穫をあげることができず、変わった人物とみられていました。

「この農民は変わった方法で農地を整えていた。他の農民がするのと異なるマグワを使い、そして種を蒔(ま)いていたのだ。農作物を取り扱う方法もまた変わっていた。独特な方法をそれぞれの農場に施していた。

彼はけっして教会へは行かない人だった。彼は何か誤解していたのだろう。また彼が他の人と一緒にビールを飲んでいるのを見たことがない。誰からもアドバイスをもらおうとしていなかった。

また、彼は雇用者と議論するのを好まなかった。彼に従えない者は、家財、持ち物とともに追い出されてしまった。こうした態度にもかかわらず、従業員を失ったことはほとんどない。

彼には一人の息子がおり、農業大学を出ていた。しかし息子は、父は何でもよく知っていると思っていたので、特に衝突することもなかった。

ある日、宵闇迫る頃のことだった。私がその農民の家を訪ねたときにそれが起きた。農民と短かな雑談でもしようかと思った。中庭に入ると、無愛想な息子と出会ったので、父親がどこにいるか尋ねた。

『そこの家の向こう、古いほうにいたよ』

彼はぶっきらぼうに身振りをつけて言った。

『大きな声で呼べばきっと来るさ』

私は彼が教えてくれたところへ行ってみた。

脱穀場を通って奥に年のいった農民がいた。彼は古風で趣のある歌を歌いながら、3、4杯のバケツほどの大きさの、木製の樽に向かって立っていた。

そして、大きな木製スプーンで樽の中身をかき混ぜていた。彼の歌は本当の歌ではなく、むしろ、音色に富む音階であり、裏声からダブル・ベースの範囲に及ぶものだった。

樽の上で屈み込むようにして歌っていた。樽の中に響くように大きく歌っていたのだ。音階が上がるときにはスプーンを反時計方向に回していた。逆に声を低くするときには、スプーンの回転方向も変えていた。

このことすべてに理由があると思った。農民は私が来たことに気付いていなかった。そこで彼をしばらく見つめていたが、やがて彼が何をかき回しているのか気になってきた。気付かれないように樽のところへ近付いて中を見た。なんとそこには澄んだ水しか入っていなかった。やがてその年老いた男は私に気付き、うなずいて私を迎え、しかし動きは止めずにかき混ぜ続けた。

私は農民と樽の中身を交互に繰り返し見ていた。初めは右に、それから左へと液体をかき回しながら、樽の中に壌土（じょうど）（訳注：粘土分が25〜37・5％の栽培に適する土壌）を投げ込むのだった。それとともに、樽に向かって、まったく心地よくないほどにやかましく歌うのだ。

『まったく、』と私は思った。『どういうことだ』

ついに老農民は大きなスプーンを樽から出した。それは本当に小さなオールのようだった。そしてつぶやいた。『さて、発酵の準備ができたぞ』

私は、すべてが私にとって貴重なことであったようにうなずいた。そして再度うなずいた。それは、喉が渇いており、新鮮なアップル・ジュースが欲しくないかと農民が聞いたからだ。

老人が濡れた手を丁寧にエプロンで拭き終え、二人で家へ向かった。彼が地下室から冷たいアップル・ジュースを取ってくる間、私はきれいな部屋に入った。

『さあ、良いのを味わってみようじゃないか』。その言葉とともに、彼は私に、ジュースが入った青い花の絵のついた大型ジョッキを滑らせてよこした。

『さて、あんたはどう思う？　他の奴が言っているように、俺は気が狂っているかい？』と農民は聞いてきた。

『言いたいことはわかっていますよ』と私は答えた。それから、さっき彼がしていたことへと話が移っていった。

　粘土を冷たい水の中で、気の抜けた炭酸と混ぜ合わせる。次に中性電位になるように、正しい方向にかき混ぜる（よく練り合わされた壌土をアルミ・シートで包んだものの効果と似ている）。この中性にチャージされた水は、新たにマグワでならされたり、植え付けされたりする畑に散布される。マグワは木製であり、鉄の歯ではない。

　水はやがてとても細かな結晶を残して蒸発する。この結晶が負電荷をもたらし、あらゆる角度から来る光線を吸収、放出する。

　地球の大地と大気間には、菫色（すみれいろ）の細い薄膜が形成される。この膜はフィルターのように働く。この薄膜は、最高の価値の光線を地球に出入りさせる（訳注：おそらく高空の成層圏界面でないかと思われる）。それが地上にもあり、農民はこのフィルターを『処女膜』と呼ぶ（この層は、植物が生体コンデンサーとして機能するための誘電体層になる）。

　この重要な効果によって、1年で最も乾燥するときにも土壌は冷たく湿ったままでいられる。それで、大地と大気間で種を生じるのに適した部分は、気温がほぼ一定のプラス4度のところになる。この温度で収穫の可能性が最も高まる。植物の結実は比較的受動的である。大地の皮膚呼吸に関して、この簡単な心遣いをするだけで、それが行わなかった場合に比べて約30％収穫が増すのだ。昔は、この当然の皮膚呼吸に対する心遣いは『粘土の歌』と言われていたのだった」

他にも、古い伝統では、太陽の通り道に直角に畝(うね)を作る——いわゆる「太陽を耕す」と呼ばれるものがあります。

シャウベルガーは、近代の農民は伝統を重んじてこなかったと思いました。彼らにとって、時は金なり——それは、最短時間で最大の地域を耕すことなのです。

しかし昔の農民はそう考えていませんでした。彼らは自然界と親しく、時間と方法には、いつも前向きにとらえていました（訳注：自然に合わせて長い目で見ることもできた）。そして昔からの方法がなされていたのです。必要であれば秘密にさえしながらも。

「古い穀倉は特別な配置をしてあり、特別なシャベルを穀物に使っていた。それは、昔の農民が使ってきた寸法と同じ木製シャベルで、1方向へ、それから他の方向へと使うものだった」

シャウベルガーは、昔の農民が言ったことの多くには実用的な価値があることに気付きました。

例えば、牛の食べる草を大鎌で刈り取ったものは、機械で刈り取ったものよりはるかに肥沃です。ハーブならより豊かで、健康的な効能が得られます。

また、大鎌を使う前に叩き上げて鋭利にしたほうが、特に有益であることがわかりました。エストニアの昔の農民は鋭利にして使う方法をとってきました。

シャウベルガーは、鉄などのような台ではなく、硬い木の台で大鎌を叩き込むことで、大鎌が充電できると考えました。大鎌の中にエネルギーを蓄え、それが収穫のときに解放され、成長エネルギーとして根や植物へ送られるのです。

しかし、太陽の下で、叩き込まれた大鎌を置きっぱなしにしてはいけません。充電されたものが「拡散」してしまうからです。

大鎌を使えば、残された茎の切断面が閉じます。それによって引き裂かれたか切断された植物の残る牛の牧草地は、効果的に育まれます。

しかし、刈り取り機械は茎に損傷を与えます。それで切断面は長い間開いたままになります。そして広がったままの傷から成長エネルギーは無駄に大気中へと逃げていってしまうのです。

同じことが昔の林務官の言葉に含まれていました。それにシャウベルガーは気付きました。つまり、ノコギリよりも斧で木を切り倒したほうが、森に良いというのです。ノコギリでは切り株が露出して損害を受けたままになってしまうからです。

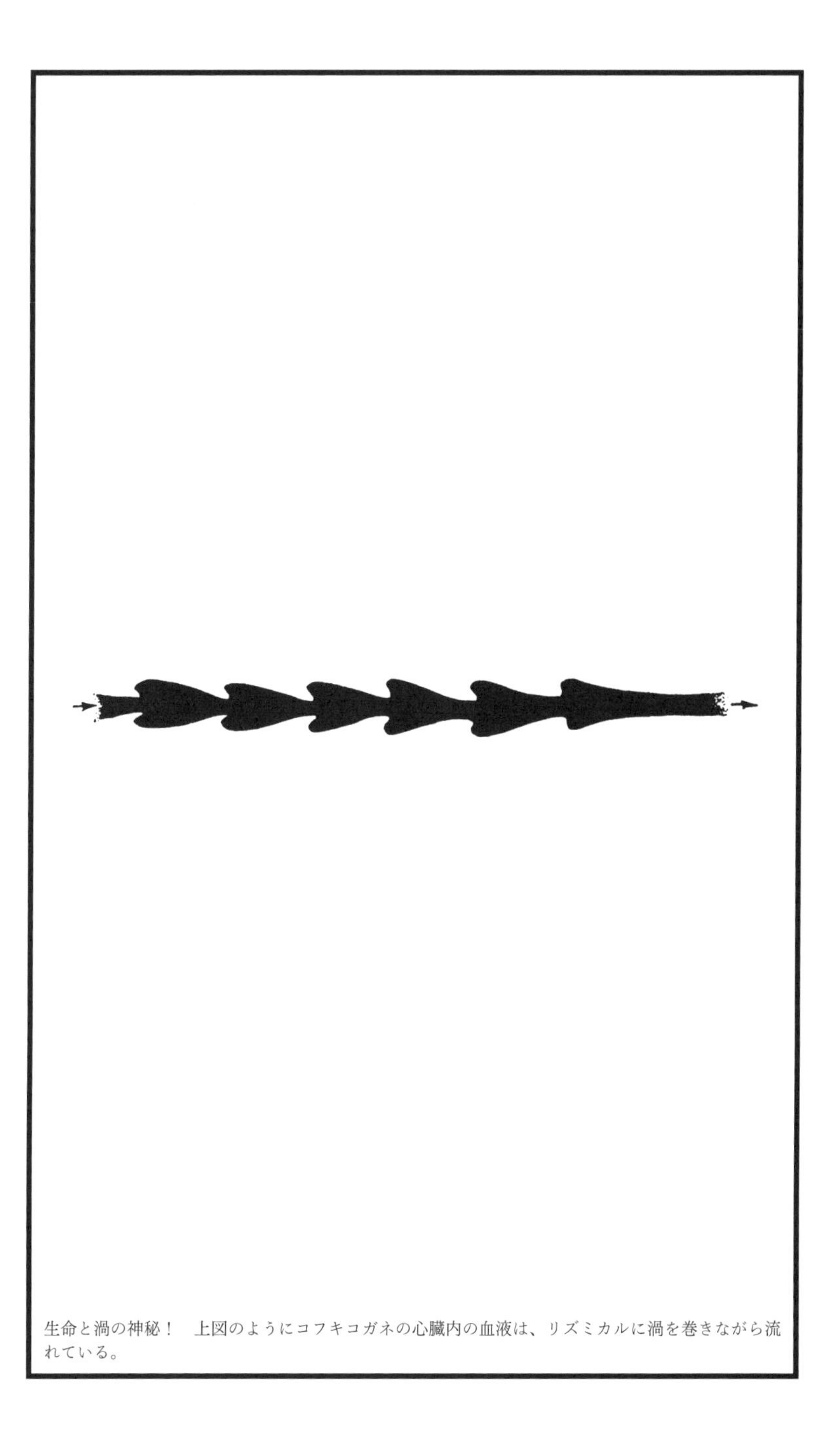

生命と渦の神秘！　上図のようにコフキコガネの心臓内の血液は、リズミカルに渦を巻きながら流れている。

農業に有害な被害をもたらす器具と有害な官僚役人

1930年代に、シャウベルガーはブルガリアのボリス国王から招待を受けました。その国の農業生産の大幅な低下の原因を調べるためでした。

旅行中、田舎を通ったときのことです。トルコ人が多く住んでいる地域がいくつかありました。そこは他のどこよりも豊かな収穫をあげていました。

古い木製の鋤がまだ使われていたのです。この国の他の地域では、すでに近代的な鉄の鋤に代わっていました。ブルガリアの農業の近代化のためにドイツから輸入されたものです。最初の蒸気鋤も導入されていました。

シャウベルガーは、収穫量の減少は鉄の鋤の導入の結果であるという論理的な結論を出しました。しかし、彼は早い時期から鉄器具による農業への有害な被害に関する理論を展開していました。

水流ジェット（第7章参照）の研究時に、この問題への新見地を与えています。つまり、そのときの実験では、わずかな錆(さび)を水に加えただけで電気がたまらなくなったのです。水の電気が「空(から)」になっていったのです。

鉄の鋤を使うことにおいても、収穫量に影響が出るに違いないと思いました。土の中を鉄の鋤が通ると温かくなります。そして不安定になった土は細かく錆びやすい鉄の粒子で覆われていきます。

以前、彼は、鉄分に富む土が乾燥していくこと、そして、発電所のタービンも水から電気を「放ってしまう」ことを発見していたのです。

いろいろ調べた結果、鉄は土に含まれる水に有害な影響を与えるという結論を得ました。鉄は水分を追い出す。つまり、鉄の力で「排水」してしまうのです。

蒸気鋤からトラクター鋤が使われるようになり、土中を動く刃の速度が増したことで余計状況は悪化しました。ヴァルター・シャウベルガーは、この方法で耕された畑は水が消失すると述べています。それは簡単な理由です。土中を鉄の鋤が急速に通ると、畑の磁気エネルギーの力線をカットしてしまうからです。

それによって、磁界を横切る発電機ローターにあるコイルのように電流が生じます。これで、次々と土を電気分解していきます。その結果、水が酸素と水素に分解されてしまうのです。また、電気分解は土の中の微生物に被害を与えるとともに、土の中を通る鉄の刃の摩擦も加わり、さらに温度を上昇させることになります。

特に鉄を使うときにこういう現象が起こります。しかし、木や銅、その他いわゆる「生物にとって必要な磁気」を与える素材の鋤では、土の磁場が害されることはありません。

これによって得たシャウベルガーの結論は、農業器具には鉄ではないものを使うべきだというものでした。それで彼は銅に関心を向けました。

銅に富む土は、土の湿気を保持します。それで彼は銅の鋤を使って実験することにしました。初めに、鉄の鋤で耕した地表を銅のシーツで覆ってみました。その後のテストでは、畑を分割し、一方は普及している鉄の器具で耕し、他方は改造した銅の器具で行いました。

その結果、銅がとても良いことがわかりました。収穫が17～35％も上がりました。ザルツブルクの近く、大農場のファームライテン・グート・ホイベルグでは50％増になりました。キッツビュール周辺の丘陵農場では、12・5倍もジャガイモの収穫が増えました。

量の増加だけではなく、品質も顕著に上がりました。トウモロコシで作った高品質のオーブン料理は上質になり、また、ジャガイモはコロラド・カブトムシの被害を受けなくなりました。

隣接するジャガイモ畑はいつもの方法で耕しましたが、そこは相変わらず被害を受けており、また、窒素量が低下していました。

1951年～52年の間（訳注：原書でこの年数だが、他書で発見できなかったので何ともいえない）、銅の鋤を使ったテストが、リンツの農業化学試験所で行われました。オート麦、小麦、カブキャベツ、そして玉ねぎでも試験されました。

ある区域を鉄の器具で耕し、他の区域では鉄の器具を使うとともに硫酸銅を加えました。そして3番目の区域では、銅の器具だけ使いました。また、あるテストでは、硫酸銅が純粋な銅の粉末になっていました。顕著な収穫量の増加がこのテストで出たのです。

成功の噂はザルツブルク周辺の農民に広がりました。そして彼らは銅の鋤を「驚きの金の鋤」と呼び始めました。それが大量に生産されましたが、予期せぬほどの反対が、四半期のうちに生じてきました。

1948年（訳注：流れから、リンツの農業化学試験所の実験前ということになる）、ヴィクトル・シャウベルガーはザルツブルクの会社と大量の鋤を作る契約を交わしました。やがて、ある日突然、彼のところにザルツブルク財務省の一人の高官がやってきたのです。

高級車で来た財務局長は次のように言いました。

「ザルツブルクの町の企業は、君の鋤を使ったテストで成功したようだね。当然、それに関心があるんだ。しかし今、君に面と向かって尋ねなければならないことがある。君をサポートするとなると、どういう見返りを得られるだろうか？」

シャウベルガーは答えました。

「何をおっしゃりたいのかわかりません。あなたは財務省から来ました。私をサポートすることとは何の関係もないはずです。自分の報酬はテストで使い果たしています。税務処理はすべてちゃんとできています」

財務局長は続けました。

「自分をよく見ることだね。実は、私は窒素産業と協定を結んでいる。それによって、窒素をもっと農民が使うようにできるなら、私はそれぞれの袋が売れるたびに使用料を受け取ることになっているんだ。

しかし、農民が銅の鋤を使うようになると、窒素の需要は永久に減ってしまう。そこで私の報酬として、君の鋤からの使用料が必要になる。旧知の仲として理解し合い、お互いのために良い取引きをしないか？」


シャウベルガーは激怒して答えました。

「あなたは、人民の代表として高級車を運転して回る貪欲な、ならず者です。そうとしか思えません。そのことに気付いておくべきでした」


鋤を供給するはずであった会社から突然の契約破棄が来たのは、このやり取りの後でした。地元の農協の代表もまた、もっと安い価格で生産を増やすことができるので、銅の鋤を使わないようにと農民へ警告し始めました。それによって作られることも使われることも完全に止めさせられました。

しかし、1950年、シャウベルガーは、技術者のローゼンベルゲルとともに、通常の農業器具が使える土の表面を、銅を使ってコーティングする方法の特許を取得しています。

自然界の運動原理に沿った「螺旋状の鋤」の開発

シャウベルガーは、従来の鋤についても生物に適切なものだろうかと考えました。ここでもやはり、自然界の運動の原理が使われています。

耕すときに土は求心運動をしなければならないと考えたのです。これを利用して「螺旋状の鋤」を開発しました。しかしこれは模型段階を超えることはありませんでした。

土を掘り返す原理は、穴を掘るモグラが使う方法とよく似ていました。削り取り、回転させるために刃の形は独特でした。その鋤はほとんど抵抗もなく土を耕すものになるはずです。また、圧力や摩擦、そして普及している鋤では当然生じるはずの熱も起こさないのです。

螺旋状の鋤は深く耕すためのものではありません。土の表面に使うものです。シャウベルガーは深く耕すことに反対していました。それは微生物の重要な働きを乱すものであり、カビの生えた一番上の土の自然な状態を混乱させると考えていたからです。そこで、生物にとって必要なことを知り、その影響を見つめてきた、昔からの農業社会を支持していたのです。

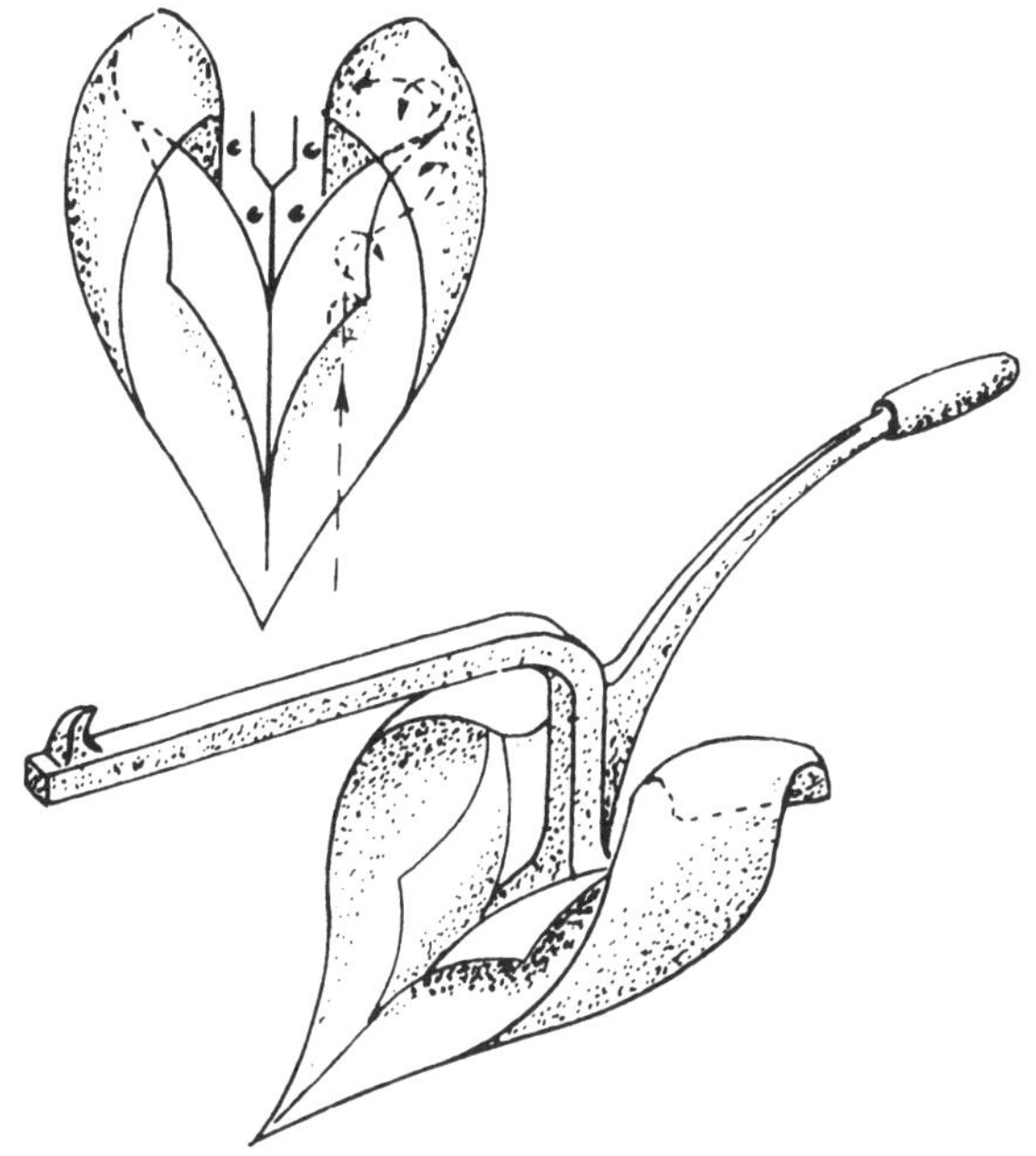

モグラの運動を模写した螺旋状の鋤。点線矢印は鋤の中の土の動きを表す。

土壌を肥沃にするリパルセーターとの不活性の堆肥の作り方

こうして見てきたように、シャウベルガーは、成長過程とはエネルギーの問題であることがわかっていました。

成長とは、大地のエネルギーと大気のエネルギーとの間のバランスと考えていたのです。また、植物とは、断熱層表面（訳注：幹表面）で出会うエネルギー（複数）からできあがった製品とみなしていました。それで、成長を促すためには、土のエネルギーを増す必要があるのです。それが断熱材としての「皮膚」（訳注：木の年輪から幹表面）の増強と維持になります。

大地からエネルギーを奪い、断熱材に損害を与える活動のすべてを、彼は拒否しました。そのため、例えばトーマスりん肥に対しても強く抵抗しました。それは土の持つ強さ（訳注：硬さのことではない）を弱める溶鉱炉の産物です。トーマスりん肥を土に使うと、それが新たなエネルギーを吸収してしまうのです。

土のエネルギーを増強するには、安定した肥料、堆肥、微小栄養元素、そして触媒を加えることです。それを順にしっかりと覆っていき、太陽の直射日光から保護されるようにしなければなりません。同じく、鉄の道具は避けねばなりません。もちろん、地上のエネルギーを源として森があり、水が自然な生活を送っていて、土地全体が健康である必要があります。

シャウベルガーは、「生物に合う」器具を使うことによって大地のエネルギーが増すと強調しました。例えば「リパルセーター」は特別に充電された水を作れましたが、この特別な「パワー・ウォーター」は、最高気温プラス7度のときに畑に散布しなければなりません。その代わりに、リパルセーターを覆う炭化水素材の厚い断熱材が、土地の治療に転化できました。

その装置が機能すると、地中を水平に「生物放射線」が発せられ、それによってさらに「土地が充電」されることになります。これと他の装置によって、シャウベルガーは砂漠を肥沃な地域に変えることができるかもしれないと考えました。

彼は、土地を肥沃にすることに関しても一般科学の力を信用していませんでした。一般科学は不調を助長していると考えていたのです。

「いずれにしても、損なわれていない自然が人間に提供していること、それと正反対の位置に近代科学がいるのを目にするたびに驚いてしまう。

事実、人が以前から近代科学に尻込みしてきたことでわかるように、近代科学は自然界に反対する傾向がある。

食糧生産量とは、当面の需要に対しても、かろうじて必要量があればよいというものではない。

大きな余剰量が必要なのだ。

今日の科学はかなり未発達である。人が発することのできるオクターブ音階の領域があまりにも低すぎるのだ。

科学は物質主義と関係し、エネルギーを産出するものではなくなってしまった。そのため、今日優勢となってしまった状況の責任を取らねばならなくなっている。

おそらく、この展開は必要だったのだろう。さもなければ、人間と自然との間にある本来の相互関係を、混乱した人間はどうやって認識できるだろう。

人類全体が、人間としての感情をすべて取り去られる前に、自然界に密接な土地の文化を創り出す方法を実例で示すことが、今や極めて重要である」

ヴィクトル・シャウベルガーは、彼の記述にある「自然界と密接な農業」と呼ぶものを通して実用的なアドバイスをしています。そこには自宅で誰でも作れるリパルセーターのことが出ています。

まず、木か焼かれていない粘土あるいはガラスの容器を準備します。それはなるべく卵型にしてください（釘や釘帯をしてはいけません）。

容器の高さは約2m。それを日陰に埋めます。上の開口部は地面と同じ位置になるようにします。

また、下の卵型の部分は下へ行くにつれて細くなっています。

それに最上質の水を入れます。一握りの角状になった動物の角（あるいは骨、羽毛粉末、雌鶏の糞または雌牛の糞などの有機物質）を入れます。

そして最後に若干の銅と亜鉛粒子を入れます。これは事前にハンマーで、例えばオーク材の上で叩いておきます。

薄い銅と銀のプレート（鉄の釘を使ってはいけません！）をはめ込んだ木のヒシャクで溶液をかき回します。初めは端から内側へとゆっくり左から回転。すると渦ができます。次に、右回転します。

ぴったり塞ぐことのできる木製の蓋（鉄の釘はいけません！）で容器を塞ぎます。ただ、直径1㎝の小さな穴を一つあけておきます。そこはリンネルで塞ぎます。

容器を2、3週間そのままにしておきます。すると水平方向へのエネルギーが周囲の地面に放射されるでしょう。

その後、その水は灌漑に使います。それが植物に強力なエネルギーを補充することになります。応用として、容器に液体肥料を満たすこともできます。そのときの容器は上に先細りになるようにします。また溶液は使うまでに6週間そのままにしておかねばなりません。

卵型、それをシャウベルガーは特に価値があるものと考えていました。それは特別な機能を有する形状なのです。

その形状は液体のサイクロイド螺旋運動を促進するでしょう。それが温度の変化を生じ始め、維持されます。シャウベルガーは「不活性」の堆肥の作り方の一つを教えてくれます。そのことについて特に次のように詳細に述べています。

「木の根本に近く、その木はなるべく果樹がよいだろう。上が広がり、根は深いものだ。日陰側に半円形の穴を掘る。そのとき根にダメージを与えてはいけない。

木の幹が、積み上げて腐敗した土と直接接触するのを避けるために、紙や樹皮などで積み上げた土を覆う。土が光の影響を受けて腐敗が生じるからだ。

それから、刈り込んだばかりのいろいろな種類の草で、(40～50㎝の)間をあけて二つの層を作る。つまり、皮をむいたばかりの新鮮なジャガイモや果物、それを新鮮なできるだけ乾燥させた状態にして、いろいろな果物の茎と一緒に混ぜる。

この混合堆積物は、銅と亜鉛によって阻害反応(刺激の破壊)と触媒反応(刺激の増強)を生じる。

最良の結果は亜鉛と銅のやすり屑で生じる。それらの微粒子(ほんのわずかな量)を、相手を探すように土に広く撒くことで可能になる。

いくらかの塩と一定量の甘蔗糖を加える。土の層を頂部にして穴に据えられたこの全体に、雨が染み込まないように防水する。

この堆肥の堆積は、新たな草の混ざった廃棄物(刈り込んだものなど)を加えるまでは放置しておく。その後、堆積物を踏みつけ、硅砂（なるべく川床の細かい砂）を混ぜた土で10㎝覆う。そして雨から守るためにすべての層を（藁や干し草などで）覆う。

層の上に載せる層は半径を小さくしていく。それによって最終的な堆積は卵型になる。頂上は落ち葉の層にする。軽く置き、蒸気を閉じ込める形状にする。そしてすべての堆積物をシャベルの裏の広いほうで滑らかにしていく。これで表面張力を増すことになるが、それは極めて重要なことだ。それによって雨は木から落ちてきて染み込みはするが、堆積物の表面を突き抜けていくことはない」


シャウベルガーは、堆積物の中で何が起きているのか述べています。それは土中の微生物を引き寄せるというのです。それが堆積物の中で夏の間、繁殖します。また冬の終わりには、死んだ虫が腐敗し、高純度の分子脂肪つまり土の油に変わります。

＋4度で堆積物は活性化されます。（堆積物が前の初夏に作られたのであれば）2、3週間後には準備が整います。堆肥の土は、基本要素とエネルギーの集中によって、以前の生命形体から完全に変化しています。

それを、銅、青銅、木あるいは亜鉛メッキされた金属の鋤で地面に広げます。ほんの薄い層、約2分の1㎝で良いでしょう。そしてこれをすぐに土と混ぜます。もちろん、鉄ではない道具によって。これで土壌に種を蒔くための準備ができました。

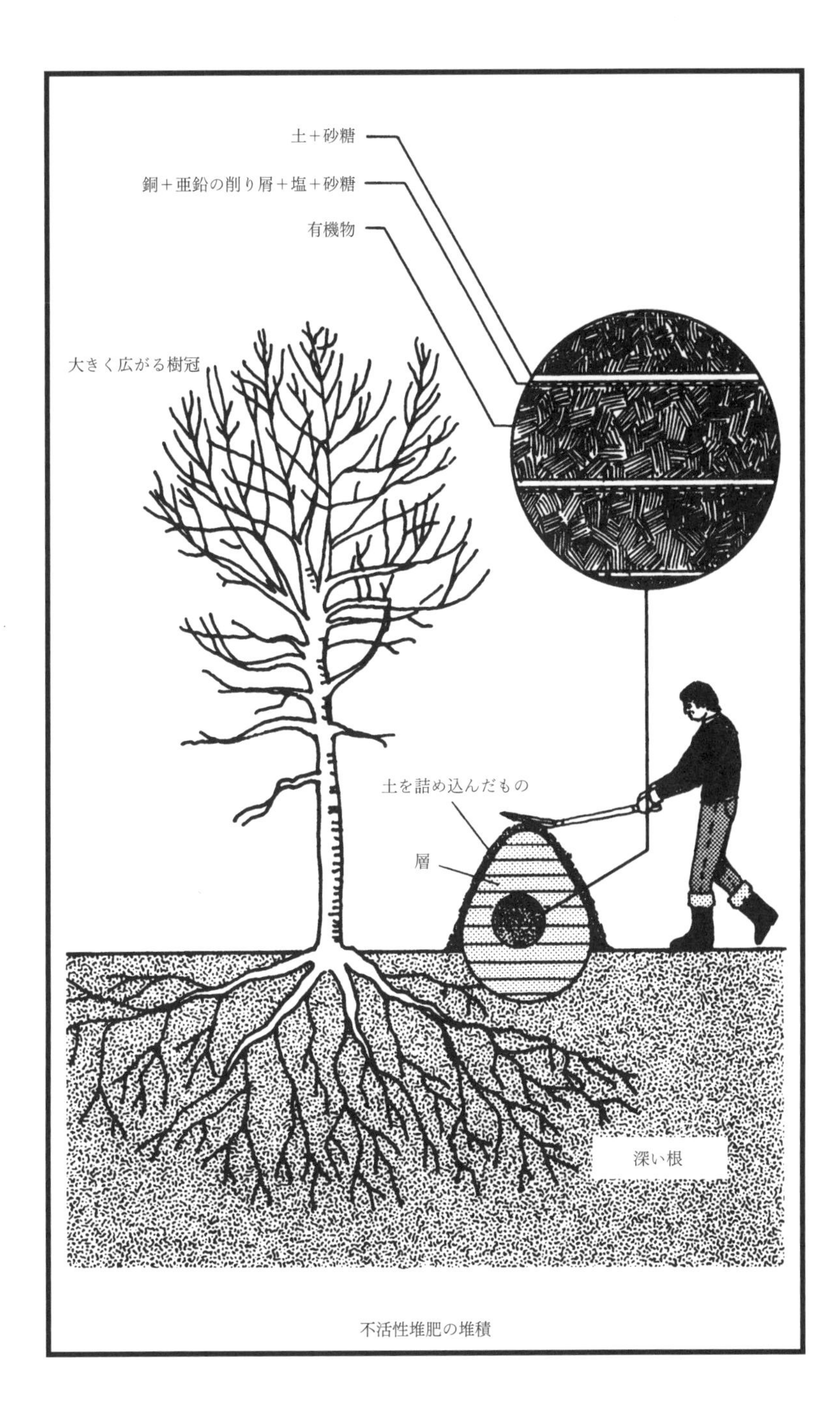

不活性堆肥の堆積

「この土地にはどのような害虫も見られない。ほとんど雑草も見られない。収穫量は30％増加し、産出物は際立って高品質を維持する。そして、この特別な堆肥が使われている限りその状態が維持されるだろう」

シャウベルガーは、前述したように、人工肥料の使用を禁じました。それだけではなく、いかなる方法で温めることも火の使用についてもそうでした。大きな範囲でも小さな範囲でもそこが他と対立するようになり、栄養となる「母体の要素」を吸収してしまうからだというのです。いくら収穫が増す土地でも、そこの土壌は生命のプロセスを中断されたことによってダメージを受けています。当然、そのような土壌から産出した作物は、長い目で見れば人体に有害なものとなるでしょう。また、それを食べる人間の物質的また精神的エネルギーは絶え間なく消耗し続けるでしょう。

「健全な人は健全な土からしか生まれない。母なる大地を侵害する者に自分の家を持つ権利などないのだ。

…生産物の品質を上げることが抑制されている限り、人は動物を食し、獣の状態のままでいる。それで一つの循環ができる。つまり感染している水は健康な食物を作れないということだ。荒らされた水、汚染された栄養物は健康な身体を作ることができない。人は、自分たちの精神が未発達であり、穀物生産物の質の低下が次世代に影響を与えるだろうということが、ただ表面的にしかわかっていないのだ。

今日の農民は売春婦よりも悪い方法で母なる大地を扱っている。それなのに彼は神に祈願する。信じている神を上位に置くのに、現実は自分の足元に置かれている。

近代的な農民は地球を侵略している。地球は彼女（地球）の太陽神に抵抗することで反対しているのだ。近代的な農民は地球の皮膚を毎年剝ぎ、人工肥料という毒をかけている。この劣悪なプロセスがだんだん増えているのに、なぜ、毎年の産出がますます低下しているのかと不思議がる。

昔の農民は、土の司祭であり医者だった。しかし、近代的な農民は、個人的に、また共同でも、政治的に悩み疲れている。そして政府から出る金に関心がある。そして、大規模に、自然界に反抗できると信じているのだ。

同様に、近代的な医者はガンの広がりを制圧することにはとても無力である。身体にある内なる強さを促すことができないのだ。なぜなら身体は人工肥料によって作り出された食物を消化することで弱められているのだから。それで、ある特定の分泌腺に、腐敗の徴候が検出されることがある。同じように、気短な近代的な農民は、畑で劣悪な機械を運転している。土が管理すべき畑なのに（したがって何も付け加えてはいけないのだ）、収益率の低下を招くさらなる働きかけをしているにすぎない」

農業の全般的な低下は私たちの最も重要な栄養源の危機ですが、シャウベルガーによると、もし私たちが自然界の要求を謙虚に受け止め、その方法を真似るなら、低下を食い止めることができるというのです。私たちの成長に、化学的また機械的なものを導入する必要はなく、土と水のエネルギーのバランスが必要であることを認めねばなりません。

第10章

全生命を破滅させる現代科学・思想・文化への最終警告

偽りの文明社会と集団自殺の技術が永遠の破局に向かわせている

シャウベルガーは、生物秩序が崩壊してしまうことへの警告が、ほとんど功を奏していないことに気付きました。同様に、集団自殺の技術を科学者に止めさせようとする働きかけにも成果はあがっていませんでした。それで警告はますます辛辣になってきました。彼は「人類がいつものように目を覚ましたら、変化せざるをえない日が来る」ことを願ったのでした。

「無言で、強くて、健全な自然を熱望することは今の時代に極めて重要であり、不自然な文明社会でバランスを取るために、なくてはならないものである。現代の不自然な文明社会を私たちは文明と勘違いしている。

この文明社会は人が働くことでしかない。人々は一方的に自分の死に脅える浅薄な社会を築いているにすぎない。人はその世界の主人になるべきだが、自身の生活のために自然界の調和と秩序を破壊している。そして自分たちの作り上げたものを見るたびに自信をつけているだけなのだ。

しかし、その作り上げたものとは私たちを破滅させるものだ。一歩一歩がさらに悪い状況へと向かうことがはっきりわかっているのに、もっと良い生活をするにはどんな方向を選べばよいのかを見極められないでいる。

残された唯一の方法は自然に帰ることだ。人は自然から創られた。それだから自然の法則から離れることはできない。ところが人はそこに疑似文化を作ってきた。自然の影響を無視し、無関係になり始めてしまった。なぜなら、人が生み出す技術が巨大な力となり、それが自然の力を奪おうと自然を脅し始めているからだ。

この技術という怪物はすでに自然界の生命のプロセスを傷つけ始めている。人は自然界全体では、極微の粒、微生物でしかない。それが、ほんのわずかな間に、自身の努力によって生命のバランスをひっくり返すようになってしまった。だから今や、この惑星のより高い質の生命の崩壊が迫っている。

この背後にある力とは、私たちの知性と技術の無意味な進歩、非合法な文化である。それが作り上げられたために、地球の水の自然な流れが妨害されるようになってしまった。

そのすべてを機械文明社会が作り上げてきた。急速な変化によって、この社会は最終的には崩壊するだろう。ただ一時的な危機ではなく、砂上の楼閣のように永遠の文明の破局へとつながるだろう。残念ながら、この文明で正しかったことさえも消し去られてしまうだろう」

このまま精神・身体の崩壊か、創造的な変革か……水がその鍵を握る

シャウベルガーの希望は若者です。絶望の真っただ中で彼は、若者が現代の技術開発を拒む運動

を始めるかもしれないと思いました。

「青年が破壊の大通りを歩もうとしなくなれば、人類には希望がある。しかし立ち止まるだけでは不十分だ。若者が動き始めるには、現在の混沌の原因が暴露されねばならない。

それでも問題は解決しないだろう。いわゆる専門家は、社会での自分の生活と地位を必死に守ろうとするからだ。しかし、問題が部分的に制限できるものであれば、彼らも同調するだろう。それで人は人の支配から解放され、各自で行動できるようになる。

その証拠がある。数世紀も前に端を発する環境への誤解は、今日、病気の拡大に寄与している。これはふさわしくない対処によって、さらに増大している。それで深刻な、文化、技術、経済の失敗を招いてきた。

公民として生活しているので、どこにも逃げる場所はない。それは、ほとんどすべての『専門家』が人生の途上で恐れることだ。したがって、いかなる専門家にも、賢明な改善の協力など期待できない。それで彼らに反対しようとする者は、まず自分の優先権を主張するしかないだろう」

誰もが水について考えねばなりません。そうすることで、世界の状況を改善しようとする人たちの時代になるのです。

「自然の泉から、新鮮で冷たい飲料水を得ることができない。そんな不幸な人すべてが次のことを考えるべきである。

『自分の飲む水はどこから来るのか、どのように運ばれ、どんな人工的手段によって飲料水となるのか』ということを。

来る年も来る年も、ただ消毒された水だけを飲むように強いられている人たちは、少しは考えてみるべきだ。つまり『このように化学的に混ぜ物をされた水が私たちの身体にどのような影響を与えるのか』と。

水、それも消毒され、混ぜ物をされたものは、必然的に身体を衰える方向へと導く。それはまた精神の衰弱や男性のまさしくその組織の基盤の退化を招くことになる」

多くの人が「そんなに悪いものではないさ」と自分に言い聞かせます。まもなく技術と科学が解決するかもしれませんが、衰退はすでに始まっているのです。

「一時的な危機によって文明と経済が下落するのは精神の腐敗のためである。それが必然的に身体の衰えへと進んでいく。

文明人は、自分のおそらく高いであろう技術文化にもかかわらず、堕落へと突入している。つまり、この物質世界、そして道徳の低下を認識できなくなっており、まっしぐらに文明の衰退へと突き進んでいるのだ。

過去の失敗がわかる人は、現在の物質主義の快適さに惑わされるべきではない。問題を解決するには、ただ現在の苦境に対する姿勢をはっきり示すことである。

最良の方法は、間違った助言を聞いたら屋根に上がって大声で叫んで伝えることだ。貧しくても金持ちでも、高級でも下級でも、社会の誰もが、疑わしい主張や歪曲された説明に気付くべきである。

そうすれば、よりいっそう社会で何が重要なのかがわかるだろう。その新たな態度が多くの人に伝わるだろう。そして人々は、決して後退しない変化を強く望むようになるだろう。

仕事の都合上、大都市でパンを買わねばならない人は、パンや水がだんだん少なくなり、値上がりし、質が落ちていくことに気付くべきだ。

差し迫った危険の警告に目を向ける人は少ないかもしれないが、理解していようがしていまいが気付かなければならないものである」

シャウベルガーは、カタストロフィーが間近に迫っていることを知りました。それは既存の技術と社会構造の結果生じる完全な混乱です。しかし、彼は新しい時代を垣間見ました。そこで人はついに自然と接しながら住むことが必要だと実感するのです。

「今日の受け入れがたい世の動きからでも、いくらか慰めは得られる。人はいつか思い出して自分に言い聞かせる時代が来るだろう。『私たちは愚かだった。文化を築くためだと真剣に信じて、世の中に間違った技術を強いていたのだから』」

シャウベルガーは将来の世代が選ぶ道をはっきり示しています。

「未来の人たちは、世の中の物質を完璧にコントロールでき、それをもっと良い品質へと成長できるだろう。

彼らは自然界の最高の召使いであるとともに、主人でもあるだろう。最高品質の素晴らしい収穫が食物として提供されるだろう。また、地表を、水を、そして空気中を何の制限もなく自由に動き楽しむだろう。

したがって、生活での争い、権力闘争、生存のための戦い、そして食物や原材料を求める戦争はなくなるだろう。

治癒法の根本的な変化が医学に見られるだろう。子供のどのような病気の芽をも摘み取ってしまうものが発見されるだろうという、パラケルススが予言したことが現実になるだろう。人は病気と無縁になり、幸せな生活を送るだろう。そして誰もが、原材料を扱い、また進展させる機会を得るだろう。

あらゆることが水から生じた。したがって水とは、すべての文化の原材料であり、身体と精神すべての発達の基盤なのだ。

水の秘密を発見すれば、戦争、憎悪、ねたみ、不寛容、不一致へと導くどのような憶測もばかげたものになるだろう。それは独占権の終わりを意味する。どのような支配も終わり、最善の個人主義を認めることになるだろう。

自然に発生する酸化（冷たい燃焼）を利用して機械に力を与え、多種多様な物質を生産する。それは順に成長を促していくものであるが、なんと空気と水から生じているにすぎないのだ。

人があらゆる創造物の召使いになるのと同じように、どうすれば主人になれるのかがはっきりわかるようになる。その時点もまだ危なっかしい段階だ。一つの間違いで奈落へと人を突き落とすことになる。

創造的な変革がわかる人は神のようだ。しかし、生涯にわたって創造的な変革に細工し続ける人は、全世界を破壊する悪魔の召使いである」

第11章

原子力と軍事力を牛耳る巨大権力への大いなる危惧

シャウベルガーの水の運動理論が大学の実験でも確認された

1952年、水資源管理に関心を示す連邦大学は、大学のフランツ・ペーペル教授に、ヴィクトル・シャウベルガーの水に関する理論を試すための実験をするように要請しました（訳注：シャウベルガーに関する他書では、シャウベルガーが実験を依頼したとなっているものもある。また、1回目はシャウベルガーから接近し、2回目は本書のような経緯としているものもある）。

ヴァルターとヴィクトル・シャウベルガーはその実験に参加するために来ましたが、ペーペル教授は一緒に実験することを嫌がりました。彼はカンプ大臣に、シャウベルガーの推論は機械工学の法則に反すると言いました。そしてそのテストは技術的に有益な成果など出てきさえしないだろうと述べました。

カンプはペーペル教授に同意しました。しかし、カンプは実験が行われることを望んでいました。なぜなら、シャウベルガーの空想を、とうとうくつがえすことになると思ったからです。

実験は次のように行われました。それはシャウベルガーが初期に研究していた水流に関するものでした。

初めにシャウベルガーは「バスタブに残った水に何が起こるか考えたことがありますか？」とペ

ーペルに尋ねました。「排水すると、じょうご形のらせんが生じます。その先には何が起きているかわかりますか？」

ペーペルの目は関心を示して少し輝きました。それから彼らは試験モデルを組み立てました。それは直線状のパイプや螺旋状のパイプで調べるものでした。

1）パイプを流れる水は「マニホールド（訳注：いくつかの穴が側面にある管）内の流れ」によって力を増すか。
2）パイプの形状は流れにいかなる影響を及ぼすか。
3）パイプの材質は流れにどのような影響を与えるか。
4）流れている間に（水の）構造に変化は生じるか。
5）水の流れはクラスト形成（訳注：細かい土粒子によって皮殻が形成されること）からパイプを守ることができるか。

この実験のために組み立てたテストモデルには、卵を半分にしたような巨大な容器がありました。容器下部には長さ数メートルのガラスパイプが付けられました。容器内の螺旋状に巻かれたホースには穴（複数）があけられており、そこを通って水がヒューッという強力な音をたてて容器の内側に流れ出ます。水が着色されていれば、渦がガラスパイプを下っていき、また、流れの軸の中心に向かって色が濃くなっていくのがわかったでしょう。
ペーペル教授は真面目な関心を抱き始めました。そして紐にたくさんの小さな三角形のものを下げました。それによって長いプリズムが形成され、このプリズムが、渦と同じ方向に回転することで、もっと正確な測定が可能になりました。

次に彼らは、物質が、その回転する水の中でどのように振る舞うか知りたくなりました。砂と細かい鉄の削り屑を容器の中に入れてみました。

驚いたことに、ペーペルと彼の助手たちは、この添加物が、パイプ壁へ押しやられないことを知りました（訳注：パイプ壁に皮のような固まりを生じないということ）。その代わり、渦上運動の軸中央でお互いに巻き上げられ、卵型に凝固するように見えました。これが容器内の出口近くに集まっていきました。水がなければ、こういった「卵」はできないでしょう。

水の流れを巧みに調節し、正しく「調整」することで、静止しているように見える卵型曲線の波が、パイプの中に形成されました。
そして調律された音調に従って、真珠の糸のように、それが上下に移動するのです。
三重の運動がパイプの中で生じました。螺旋状運動が螺旋状運動になり（訳注：二重螺旋）、長

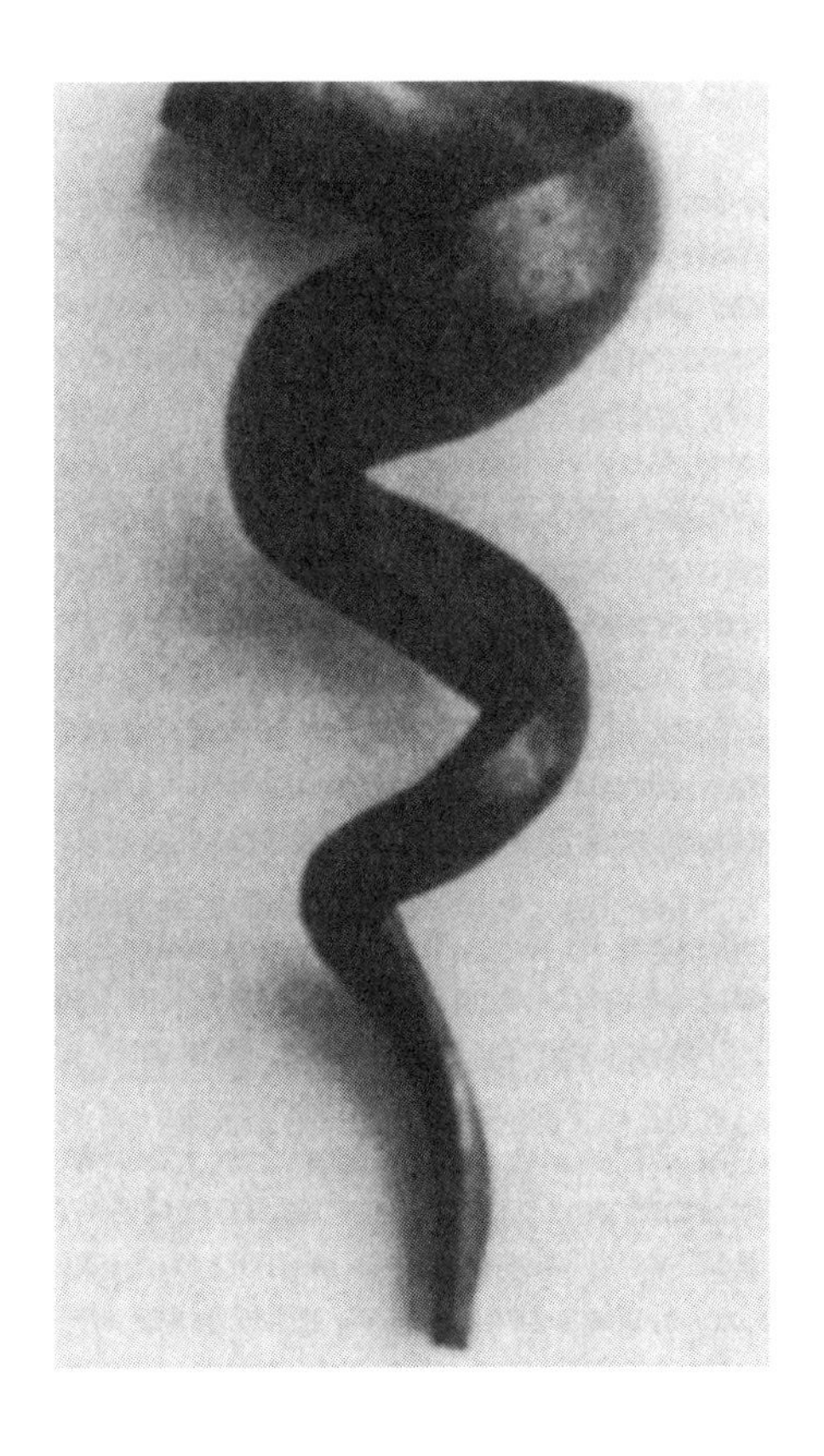

シュツットガルト工科大学の実験で使われたネジツノレイヨウの角。

い輪郭を保ちながら上下に運動していました。それとともに、パイプの周囲に奇妙な光が生じていました。

テストが完了すると、ペーペルはもう否定できず、継続を切望しました。螺旋状パイプを使うと、新しい要因が加わることがわかったと言いました。

彼はヴィクトル・シャウベルガーが導入したパイプに驚いていました。それはネジツノレイヨウの角の形を模したものでした。最初は「風変りな形」を使うことに腹を立てていましたが、後に彼は同意するようになりました。

今度はガラスの直線状パイプで実験を行うことにしました。直線状の銅のパイプの実験の後に、奇妙な螺旋状のパイプで実験しました（それはシャウベルガーのサイクロイド螺旋立体曲線の考えをうまく再現したものです）。

その結果にペーペルと助手たちは驚きました。まったく滑らかなガラスパイプの壁が、銅のパイプよりもはるかに水に抵抗したのです（訳注：「3）」の検証）。

それは材質が摩擦と関係するかのようでした。螺旋状のパイプには驚きました。流れの割合が比較的高くなると、抵抗はゼロへと向かい下がっていったのです。そして突然、負の抵抗になりました。

水量が増えていくと、摩擦が最小になる共鳴点が生じます。まっすぐなパイプでは、抵抗はある点に向かって増加しました。つまり、水が「壁」に到達すると、流れよりもはるかに大きなエネルギーの抵抗が生じたのです。

ガラスパイプは銅パイプよりはるかに抵抗があるようでした。抵抗の大きさは、直線状のパイプ内に作られる波の特性でわかりました。水は一見すると、波や曲がりくねった蛇行ができないようにしているように見えます。また、つねにパイプの内壁に接しているように見えます。しかし、水はそのようなことなど「意に介さない」ようだったのです。

ところが、螺旋状のパイプの中では、水は自身が望むように動け、それで抵抗が減少しました。ペーペル教授は螺旋状のパイプについて次のように書いています。

「このパイプの中の水柱は、パイプ壁から解放され、自由に（左右に）揺れ動き、パイプを通って突き進む」

自然の運動と自然の反応をざっと真似ることだったにもかかわらず、これでヴィクトル・シャウベルガーの水の運動に関する理論が、研究所でも確認されたことになります。

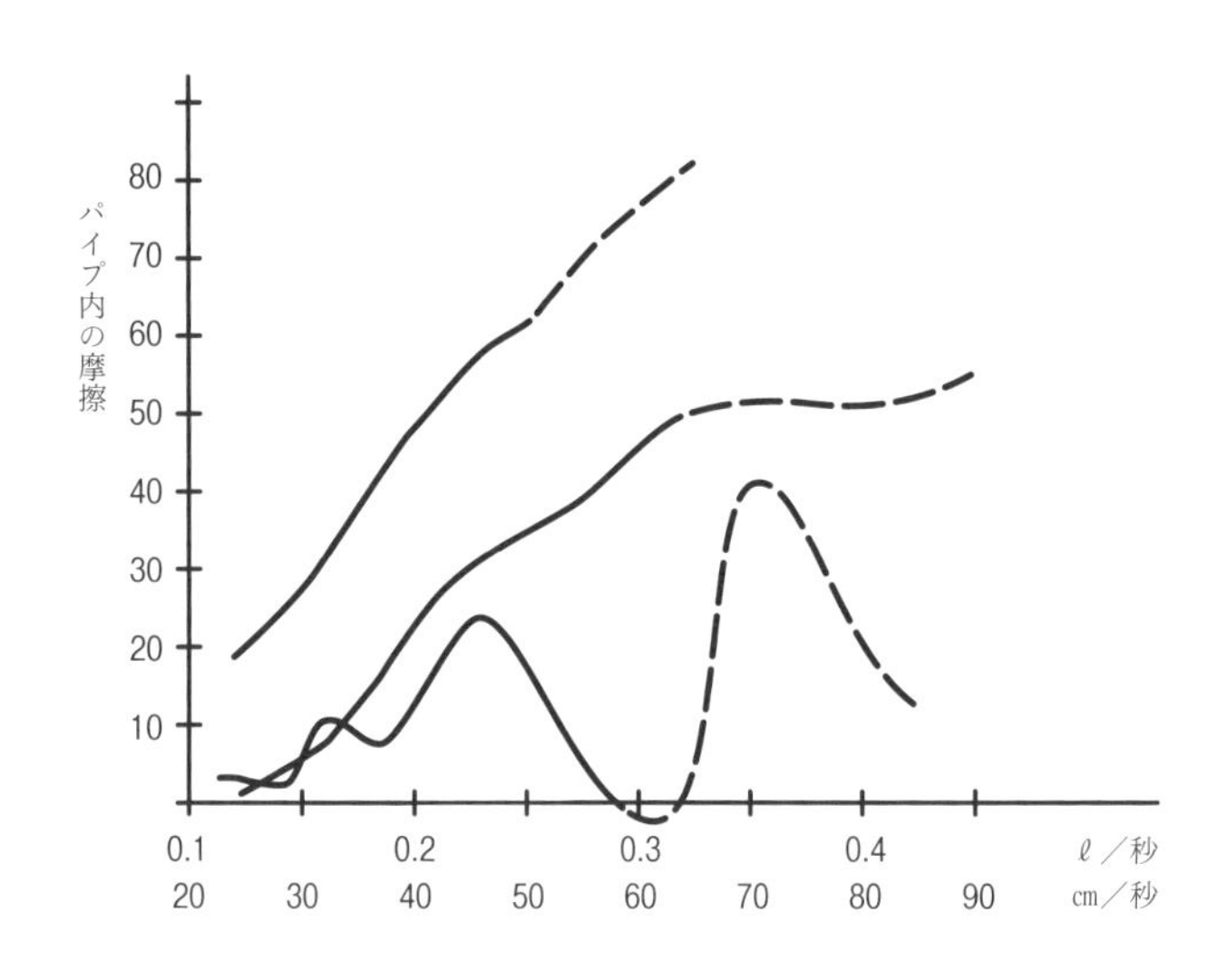

シュツットガルトのテストでのグラフ。上の曲線は直線状ガラスパイプの摩擦を示す。中央の曲線は直線状の銅パイプ。一番下の曲線は螺旋巻の銅パイプのもの。実線は測定値、破線は予想値を示す。

内破装置で世界は一変する！　しかし原子力・兵器の独占者たちが大きな壁

1956年になって、オーストリアの著述家で神秘家のレオポルド・ブランドステッターは、『爆破ではなく内破』という書を出しています。著者はこの書を通して、ヴィクトル・シャウベルガーの名を広く大衆に知らしめ、増大する核の危険に反対する声があがるように願いました。生活を脅かすことのない、いわゆる「平和」な力になるものがすでにあることを紹介しようとしたのです。ブランドステッターは最善を尽くしましたが、内容ははっきり脚色されたものになっていました。

ヴィクトル・シャウベルガーとのインタビューは、シャウベルガーの発見を自分で理解できるように修正していました。その結果、事実と空想が入り混じったものになっていました。重要な点は神秘的な言葉で、また内破力に関しては空想的な記述で切り抜けました。そのため、巨大な技術転換がすでに始まっているとは思えないものになってしまいました。

しかしドイツでは、特に、シャウベルガー自身と内破の研究に大きな関心がありました。いくつかの定期刊行物が好意的な態度を取っていました。それは現代の状況に批判的であり、提起された雄大な計画を見れば、国際的なヴィクトル・シャウベルガー運動が生じてよいものでした。

著述家の中には、シャウベルガーの内破装置は大量生産の準備ができているとほのめかす者もいました。それが本当なら、十分な資本が集められ、生産が始まっていたでしょう。世界のあらゆる発電所や原子力発電所が閉鎖され、広範囲な抜本的改革が始まり、新千年紀社会が地平線に姿を現し始めていたでしょう。ただ、内破力は軍事目的に使わないという保証が世界各国政府から必要です。ヴィクトル・シャウベルガーはさまざまな報道機関に、親切にうまく対応していました。しかし、インタビューをブランドステッターが誤用したことに対しては嫌悪していました。

自分のメッセージが全世界の大衆に届いてほしいということには熱を入れましたが、大きな計画に巻き込まれることには用心していたのです。

彼は自分の名前で計画された運動を支持するのは断りました。その代わり、内破の研究を続けるために、オーストリアの国際総合研究所を設立しようとしていました。人生でのいくつかの苦い体験を思い出していたのです。人々は支持するように見えましたが、結局は彼を騙してばかりでした。また彼は、最も信用のおけない力の中心が――それはエネルギーと兵器を独占する者たちですが――、陰で自分の発見を利用することを恐れました。

健康も疑わしかったのです。戦争時の体験とストレス、骨の折れる研究と資金の欠乏そのすべてが犠牲を強いてきました。彼はぜんそくを患っており、周期的に訪れる弱った心臓の症状に苦しんでいました。困難が増すにもかかわらず仕事を続けました。内破装置は財政的にも身体的にも、特に消耗するものでした。そして、カタストロフィーへと向かう世の中の軽率な旅立ちにも大いに頭を抱えていたのです。

特に、原子力の開発に不安を感じていました。それは最も大きな脅威でした。世界のエネルギー問題を解決するために、(原子の) 破壊を止めるために、生物工学の原理を使うことが、どうにも避けて通れないように感じました。しかしどこにその資金があるでしょう?

アメリカからの極秘のアプローチは何を意味するか

これは1957年~58年にかけての冬に、二人のアメリカ人がシャウベルガーを訪ねてきたときのことです。

その接触は一つの新聞を介してなされました。そこが最も精力的に内破のための国際的な運動を起こすために動いてくれたからです。

冬の間にシャウベルガーの健康は悪化していました。そしてもう長くはないと、ときどき言っていました。

彼はよりいっそう、ある問題を抱えるようになり、落ち着かなくなりました。その問題を解決するために絶望的な努力をしていたのです。その問題とは、内破装置がうまく働かないようにすることです。旧友でありパートナーであったドイツの生物工学研究所長、アロイス・コカリは、何が起きたのかを書いています。

「昨年、南ドイツとオーストリアを講演旅行していたとき、バード・イシュラーのヴィクトル・シャウベルガーを訪ねた。彼は二人のアメリカ人と会社にいた。

そのうちの一人はバイエルンのアクセントで流暢なドイツ語を話していた。それで私はシャウベルガーと数分しか話すことができなかった。

カール・ゲルシュハイマーは『極秘に』という表現をして、両シャウベルガー（訳注：ヴィクトル・シャウベルガーとその息子）が、まもなくアメリカへ旅立つと教えてくれた。

『シャウベルガーに関することは』と続けて、『すべての状況において、アメリカ合衆国のためにしなければなりません。シャウベルガーの膨大な知識を生かす技術が準備されています。無制限に資金が利用できます。しかし、仕事は一定のペースで進めねばなりません。シャウベルガーの滞在は3カ月と制限されているからです』

ヴィクトル・シャウベルガーは『当初の援助』のことを話してくれた。それに3カ月間対応できると彼が述べたものだった」

隔離された研究施設で何があったのか……そして帰郷直後の急逝

シャウベルガーと彼の息子はテキサスへ飛行機で移動させられました。書類、モデル、機器のすべてがアメリカ合衆国に緊急輸送されました。

6月、7月、8月、そして9月のテキサスは最も居心地が悪いのです。正午の気温は36度から41度もあります。誰も、このような条件ではヴィクトル・シャウベルガーがすぐに倒れてしまうと気遣う者などいません。

シャウベルガーと息子はテキサス砂漠の隔離された場所、レッド・リバーに連れていかれました。外界とのコミュニケーションはとれません。郵便は検閲を受けました。研究がいつ始まるのかという質問には「すぐにできる」という答えが返ってくるだけでした。そしてすべての発見が書面で記録されると付け加えられました。

描画を伴う最終報告が、分析のために原子技術の専門家へ送られました。9月、この専門家が、テキサスでの3日間の会合にニューヨークから参加しました。彼の調査結果も最終的なものでした。彼は自分の意見を要約して述べました。

「その道、つまり、シャウベルガー氏の論文とそのモデルが辿ってきた道は、未来の生物工学の道である。シャウベルガーが提案し、語り、そして断言したことは正しいものだ。4年で、このすべてが認められるだろう」

3カ月経過したとき、ヴィクトル・シャウベルガーはヨーロッパに戻りたいと強く要求しました。

しかし、アメリカ側からは、その叫びがすぐに否定されました。
「今、その成果を達成したことにとても満足しているのだ。あなたとあなたの息子はここに留まらなくてはならない。犠牲を必要とするほど革命的な問題なのだ。これから数年、あなたたちにはアリゾナの砂漠地帯に宿泊施設が与えられるだろう」
シャウベルガーはこれに反対しました。結局ヴィクトル・シャウベルガーは、家に帰ることはできるが、但し書きが必要だと言われました。それは英語を学ぶというものです（彼は英語がまったくできなかったのです）（訳注：それ以後、何か発見したらアメリカ人にだけ教えるという但し書きがあったようだ）。決定するのに30分与えられました。シャウベルガーとの激しい議論の末、一人のアメリカ人が通訳することで調整がなされました。

ヴィクトル・シャウベルガーにとって選択の余地はありませんでした。威圧を受けながら彼は提案に同意しました。彼の息子、ヴァルター・シャウベルガーも契約書にサインをするように求められました。しかし、彼はそうしませんでした。なぜなら、アメリカ合衆国への訪問者として彼は来たのであり、それ以後は当時の法の対象になり、自由を保障されるべきだと考えたからです。

合意書には「ヴィクトル・シャウベルガーは、彼の仕事、それも過去、現在、未来のすべてのことに関するいかなる知識も――しかしＲＤ（ロバート・ドンナー）氏へのものは別として――、すべて関わらない」という言明が入っていました。

彼の息子は、この点に関して沈黙を守れなければ、ヴィクトル・シャウベルガーはミュンヘンに本拠地を置く仲介人によって黙らされるだろうとはっきり言われました。

この「テキサス合意」のとおりに、ボスの「RD氏」はシャウベルガーに関することを売る「権利」を、他のグループから完全に、または部分的に得るでしょう。

休息もせずに、ヴィクトル・シャウベルガーと彼の息子は19時間のフライトでオーストリアに戻ってきました。ヴィクトル・シャウベルガーはこの苦難を克服できず、無気力に暮らし始めました。まるで彼の脳、知性、崇高な存在、すべての思いがRD氏の「ものである」かのようでした。

家に戻って5日後、1958年9月25日、ヴィクトル・シャウベルガーは亡くなりました。場所はリンツ、73歳でした。絶望的に彼は何度も繰り返しました「彼らは私からすべてを奪っていった。すべてだ。自分自身さえも私は所有していないのだから」。

第12章

すべての生命が継承してきたエネルギーの叡智にアクセスせよ

世界中の科学事業が成し得なかった発見をなぜ次々とできたのか

ヴィクトル・シャウベルガーが亡くなり、既存の科学社会異常な反対運動は終息しました。彼の生涯のすべてが、水、森、土、自然の秩序と完璧さを取り戻すことへの戦いでした。

しかし称賛を受けることはめったにありませんでした。攻撃され、追いかけられ、迫害され、拘禁され、そして最後は病気に、そして貧困に悩まされました。

それでも彼は、人類へ与える希望、すなわち新たな生命を作り出す技術の実現という、ラスト・チャンスを追い続けました。それで彼は、人生を終わらせることになった悪夢の体験へと追い込まれていったのです。

平和な状態でいることさえ許されなかったのです。彼は絶望の中で亡くなりました。彼が苦労して戦ってきたもののすべてが無に帰してしまったのです。虚偽の約束で騙した後、商業ギャングたちはすべてを持って行ってしまったのです。

この悲劇的な結末を迎える前、彼は自分をどのように見ていたのでしょうか。何を自分の生涯の仕事だと見ていたのでしょうか。また、どうしてそれほど自信を持って技術と科学を批判できたのでしょうか。

原野での生活の大部分を費やして、あえて人類のために、より良い道を見出そうとしてきたのです。そして、世界中の科学事業が成し得なかった発見をしてきたのです。では彼は、それをどうやって成し遂げてきたのでしょう。

学歴と知識を同等に扱うという初歩的なミスはしないようにしましょう。ヴィクトル・シャウベルガーは本当に、何の資格も取得していませんでした。

しかしこれは彼が無知な男だったということを意味するのではありません。彼の記述や友人たちの証明から、彼の知識の幅広さがわかります。

歴史、文学そして哲学に博識でした。インスピレーションを得るためにゲーテをよく引用していました。技術においては、彼の記述は物理学、化学そして水文学に関する広い知識を反映しています。それに膨大な実体験が加えられます。とりわけ、彼は自然に関しては異常なほど注意深い生徒だったのです。それで次のような権威ある姿勢で説明できたのでしょう。

かつて、シャウベルガーが悪臭漂う下水を、澄んだ泉の水に変えようとしていたときのことです。年上で高度な教養を有するオーストリアのユダヤ教徒が数人やってきました。彼らはシャウベルガーに、その工程はユダヤの伝統上、今では廃れているものだが、古代から秘密にされてきたものだと言いました。そして、そんな知識をどこで身につけたのかと聞いてきたのです。

遺伝を利用しただけであり、誰に教えられたものではないと彼は答えました。遺伝とは何かと聞かれて、彼は答えました。

「すべてのものは微粒子です。エネルギーや光波でさえも、物質さえ不活発なエネルギーです。これはまた血液にも当てはまります。それは力の流れが体現したものであり、それによって過去の世代から現在へ、そして次世代へとエネルギーが運ばれます。この流れは人の死で壊れることはありません。後に続く者へと受け継がれます。しかし、このエネルギーが悪化することもあります。そして遺伝という贈り物を利用してきた人には、血液から、この知識の蓄えすべてを得られるのです。ところが、芳しくない技術によって、何千年も蓄積されてきた考えや展望が失われてしまうのです」

「そういったの人物には推測などない。なぜなら、過去と現在の知識の違いがわかり、そこから知識、科学を抜き出せるからだ」

シャウベルガーは、自分自身がこの贈り物を持っていることを確信していました。それで、証拠を集める必要などないことがわかっていました。それで、他の誰にも見えない自然界のものをじか

水の螺旋状運動

に見ることができたのです。彼は起こるように思われるものを見たのではなく、実際に起きたものを見たのです。困難さの度合いが違いました。

現実にはっきり見たことを解釈し、それが不十分であるなら「成立する」ようにしたのです。いわば、そのイメージを明確に描き、それを決して疑わないことこそ彼の方法だったのです。彼にはわかっていました。内なる権限が技術、科学、政治の批判をし続けるようにしてくれていたのです。

彼の内なる存在はどこか旧約聖書に似ています。彼は躊躇(ちゅうちょ)せずに、革命的な教えの言葉を広めるのを選びました。

人々は彼の自信に満ちた言葉、判断の言葉にいらいらさせられました。人々には単なる「説教」として受け取るのが精いっぱいでした。彼は預言者でした。地上での生活を衰退させる人たち、そして「死」の技術という、自分が嫌うことをはっきり示したのです。

自分が正しく、そしてなおかつ自分の知っていることすべてを人々に語れば、彼らが混乱することはわかっていました。また、自分の発見を、自然に反する仕事をする人が誤用するのをつねに恐れていました。

それで謎のような言葉を使い、ヒントを出すだけ、あるいは半分説明をするだけでした。彼の記述だけでも、まず、その暗号を理解するために何年も研究しなければなりません。

暗号が困難を招くこともわかっていましたが、どうしようもなかったのです。カトリック司祭、社会、経済改革者であるウーデ教授に宛てた手紙には、若い人たちに待ち受ける運命から、彼らを守る手助けをしてほしいということが書いてあります。

「こちらに確かな証拠がなければ、人前で耐えることなどできなかったでしょう。もちろん、豚に深遠な知識を投げ与えようとは思いません。資本主義者は理想主義者ではありません。資本主義者、社会主義者そして共産主義者は皆悪くなっています。そして科学者さえもが理解の時計を逆戻りさせています。

これこそ深刻な悲劇です。生命の基本プロセスの破壊が、ますます驚くべき規模で生じるようになってきました。それで、もはや自分の秘密を隠してはおけなくなったのです。そして私は、人生を通して最も恐れてきたことをせざるをえなくなりました。

それは豚に真珠を投げ与えることです」

シャウベルガーの遺産と彼の目指したヴィジョンを直視する時

個人的に私が会った、ヴィクトル・シャウベルガーを知る人たちは「彼が正直で、まともな男であり、気取らずまた健康的で、さらに素晴らしいユーモアのセンスがあった」と言います。「またシャウベルガーは、不誠実な人、見かけ倒しの人に出会うと、相手の社会的地位など関係なく、相手を受け付けませんでした」。

彼は農民、森林官、ハンターの共同体で、そして森林と田舎のシンプルな生活の中で成長しました。社交的な集まりにも参加し、いつも強力な個性と威厳で人々に感銘を与えたのです。

誠実な友人や仲間がおり、その中のいく人かが彼について書き残しています。まず、中央ヨーロッパでは社会改革者としてよく知られていた、スイスのヴェルネル・ツィンマーマン教授です。

「1930年、ウィーンでヴィクトル・シャウベルガーと出会いました。彼が私の講義に参加したのです。そして彼は自分の活動について話しました。組み立てた装置を見せてくれ、浄化した水を私が飲むのを許可してくれました。

1935年9月、私の雑誌『タウ』に、彼の最初のエッセイ『ライン川の調整』が出ました。それは1938年、ヒトラー政府がこの雑誌を禁止するまで多くの追随者を出しました。

有能な研究者であり戦士を知ったことは、私にとって素晴らしい贈り物です。彼は自然の創造性と密接に関わってきた人なのです。

突き刺すような目、突出したわし鼻、姿勢が良く、流れるように豊かなあごひげを蓄えていました。

なんと彼の観察力と判断力が鋭かったことでしょう！　なんとポイントをついた答えだったのでしょう。なんて心から笑えた人だったでしょう。森の泉から湧き出る澄んだ水のように、新しい考えがほとばしり出ていました。

彼の友人たちにとって、彼は信頼できる仲間でした。彼が住んでいた周囲の山のような強さ、静けさ、信頼のすべてが与えられていました。

より良い方法、そして恐れないことによって、彼は、崇高なる道を目指し、自分の義務を果たしました。1936年7月、彼は私に手紙をよこしました。『100年も生きる人はそのプレゼントに決して驚かないでしょう』。

100年先ということは、つまり21世紀に入ってからです。そのとき、起きることとは何でしょう。誤った進歩は疑いもなく続くでしょう。しかし、それとともに、健全な復興のための、政府に受け入れられるような力がわき起こるでしょう。彼らはすぐにヴィクトル・シャウベルガーの目指す将来のヴィジョンへと貢献するでしょう。そのヴィジョンを抱いてシャウベルガーは、全生涯を通して、一人の預言者として戦ったということです」

もう一人は、農民であり、また南ドイツの生物に関する農業インストラクターだったオズワルド・ヒトシュフィールドです。

「第一印象が最も信頼できるとよく言われます。１９３０年代に、ヴィクトル・シャウベルガーの、自然な水の流れの必要性に関する記事を読んでから後、１９４２年の夏に、私は個人的に彼と会っていました。

両者とも、ある会議に参加していました。そこで彼は旧理論の科学者たちと議論をしたのです。今日でさえ、30年以上も経過しているのに、それを鮮明に覚えています。

彼は、自分の理論の正当性について揺るぎない自信と内なる確信を持っていました。いかなる反対にも、卓越した答弁と信憑性ある威厳を持って対処していました。それは彼の同僚すべてに深い感銘を与えました。

正しい秩序での自然界のさまざまな要素、そしてあらゆる生命の構造が明らかにされる前から、彼は内なる理解力を授けられたのだとはっきり感じました。

ヴィクトル・シャウベルガーとはいろいろと議論し、また、かなりの文通をしてきました。それは主として農林業のために水経済を確かなものにしようとするもので、そのためには自然をどう扱えばよいかということでした。

この分野を追求するために、これまで私は多くの人に会ってきました。しかしどのような複雑な問題に対しても、このようにはっきりと光を投げかけてくれる人物には、かつて一度も出会ったことがありません。彼を知れば知るほど、完璧な信頼を寄せるようになっていきました」

第13章

シャウベルガー理論が人類の幸福な未来への安全基盤となる

宇宙の法則と「サイクロイド螺旋運動」は共鳴している

ヴィクトル・シャウベルガーのライフ・ワークは彼と一緒に埋められはしませんでした。彼が世界に投げかけた理論はその後も生きています。そして彼の仕事を続けるように科学者を奮い立たせています。

ヴィクトル・シャウベルガーの死後すぐに、最も親しかった者たちが研究協力体制を敷きました。ヴァルター・シャウベルガーの指揮下、生物工学アカデミーがオーストリアに設立されました。西ドイツでは、オーストリア、スイス、そしてスウェーデンでも続けられるようにと、生物工学の進歩のための協会が動き出しました。

1960年代の初めから、生物工学研究への、多くのアカデミックなコースが運営されています。定期的に、「内破」を1961年にコカリが刊行、その年から年に4冊の号を出版していました。

1960年代末、ヴァルター・シャウベルガーはピタゴラス・ケプラー・スクール（P．K．S．）を設立しました。それは現在でも、自然界を模倣する技術的方法を研究するセンターです。

この学校の若い学者たちのグループは、1969年、西ドイツに、ノーバート・ハルトンの指揮下、グルーペ・デァ・ノイエンを設立しました。P．K．S．と共同で、彼らは定期的に、「コーミシュ・エヴォリューション」を刊行、それは社会と技術において取って代われる物事の研究をしていました。

1950年代末、スウェーデンでは、非公式な科学グループが結成されました。そこは1963年に生物にとって必要な技術のためのスウェーデン科学グループになりました。そのグループは1968年にはバイオテクという名で再編成されました。そして1978年まで生物にとって必要な技術を考えるスカンジナビア研究所がありました。1979年からは、生物技術研究所で研究は続けられました。

ヴァルター・シャウベルガーは、父の道を辿りながら、ほぼ20年にわたる集中的な研究をしてきましたが、その一部は父親とは異なるものでした。

彼と父親とが発見したことを、古典物理学に見出せないかと研究してきたのです。ヴィクトル・シャウベルガーの理論は、歴史を通じて有名な物理学者の理論で強固になることがよくわかっていました。それがこれまで異なった方法で説明されてきただけなのです。

ヴァルター・シャウベルガーと科学者のチームが現在、自然界と現実の古典物理学モデルを比較研究しています。古典物理学モデルが自然界の真実からはずれているのであれば、モデルを自然界と関連付け、自然とともにうまく存在できる新たなものが作られます。

科学者たちは、ヴィクトル・シャウベルガーが、既存の科学界は間違っていると直観的に理解したことを証明しようとしているのです。

自然界は、はるか向こうへと発展する「求心力の運動」だと述べています。はるか向こうとは素晴らしいゴールです。それなのに科学は、彼の技術やモデル、そして理論によって具現化された例に対して激しく非難してきました。

この新たな研究によって、科学界が真剣に受け止めてこなかった多くの事実を公開しようとしています。従来の科学の世界の総合的な変革を迫るものです。それは、ニュートンの物理数学、ユークリッド幾何学、そして物質観念などによって、真実を物理的にも技術的にも理解することによってなされるものです。

しかし科学者たちは、最新の静的な世界を暴き出したガウス、ロバチェフスキー、リーマン、アインシュタイン、プランクその他偉大な物理学者たちの発見から、真相を修正するには時間がかかりすぎると主張します。

ヴァルター・シャウベルガー（1914～1994）

ウィーン大学のG・プレスコット教授は、ヴァルター・シャウベルガーと彼のチームの研究について次のように述べています。

「この研究プロジェクトでは、まったく既成概念に捉われないものが導き出されている。それは理論的基礎を再考することによってなされるものだ。つまり『人間らしい技術』を発展させるためのものである。

既存の技術は、ユークリッド幾何学、アリストテレスからニュートンの哲学、そしてイングの理論から発展してきたものである。しかし、このプロジェクトは、現在あるものよりもむしろ自然と調和するものにしようとしている。

ヴァルター・シャウベルガーの設立したP．K．S．は先進的なものである。ユークリッド幾何学は、今や非ユークリッド幾何学と結びつき、素晴らしい展開を見せている。

ピタゴラス、ケプラー、ガウス、プランク、ハーゼンエール、アインシュタインの概念に、ヴァルター・シャウベルガーは音の法則を統合させて、宇宙の基本法則を見出した。この基本法則から、連続と不連続、時間とエネルギーの対という自然界の組み合わせを検証し始めている。

ヴァルター・シャウベルガーの望みは、アリストテレス、ユークリッド、ニュートンの原理を使うことだ。ピタゴラスの定理は大幅に修正され、ケプラーから400年を得て改めて発展している。

またこの発展は、技術、経済、政治の分野にも広げられるだろう。それによって新たな案がます

ピタゴラス・ケプラー・スクール。バード・イシュラーの生物工学アカデミー。

ます出てくるだろう。これは人類にとって価値あるものとなるだろう。そうなると、ヴァルター・シャウベルガーの概念が雄大で、また近代的なものだということがはっきりする。私にとって、それは今、大いに支持できるものである」

宇宙の法則に、形成の法則と音の展開があるなら、宇宙は螺旋状構造をしているという数学的意味がわかってきます。

音の法則への取り組みが正しければ、生命の成長運動「サイクロイド螺旋運動」に関するヴィクトル・シャウベルガーの説が確かめられます。

次の二人の有名な物理学者の発見が、ヴィクトル・シャウベルガーの理論を支持するでしょう。

まず、ルドウィグ・ボルツマン（1844〜1906）です。特に彼は蒸気技術を研究し、その効率を高めようとしました。

ボルツマンは、この技術に必要な圧力と高温を得ようとしました。そのためには、蒸気やガスの分子の効率を高めなければならず、そのために直線運動が必要だということに気付きました。

しかし、それと同時に意気消沈してしまったのです。二つの水素原子のガスでさえ、直線運動させることが不可能だとわかったのです。

二つの原子のガスを運動させようとすると、スピンしてしまうのです。その回転によって、エネルギーの大部分が「食べ尽くされて」しまいます。だからエネルギーはほんのわずかしか残りません。

多数の原子が含まれるガスではもっと悪い状況になります。例えば水蒸気では「直線運動」をさせることなどいっそう困難です。

ボルツマンは途方に暮れてしまいました。熱の研究と技術こそ、当時の技術では最重要なテーマだと確信していたからです。

高効率が得られなければ、自然界は間違いを犯していることになります。低効率では大規模な燃料枯渇を引き起こすでしょう。そしてまもなく、世界のエネルギー資源が尽きてしまうでしょう。そう彼は思いました。

今日、ボルツマンの懸念が正しかったことを示しています。しかし、それとともに、彼の発見は、ヴィクトル・シャウベルガーの主張を認めることになるのです。つまり「自然界は直線運動を妨げようとする」ということです。

微粒子は、私たちの技術と適合するような直線運動を強いられるより、どちらかといえば「惑星」の軌道運動をしようとします。技術者たちが無理に運動させようとし続けるなら、技術者もまた、地球の石油や石炭の供給を略奪していることに対して責任を持たねばなりません。

ヴィクトル・シャウベルガーの「螺旋運動」理論、そのことなど知らないで実験で螺旋運動を確認した科学者がいます。ウィーン大学の物理学教授、フェリックス・エーレンハフト（1879～1952）です。

エーレンハフトは他の科学者の実験を発展させていました。それは磁場、あるいは集中光線の中で、またはその両方の中での微小粒子に関する研究です。

微小物質、例えば銀、銅、クロム合金、石炭、あるいは細かな水滴でもよいのですが、それを彼は真空のガラス管に入れました。

管を振ると微粒子が管内に漂います。すぐに微粒子に光線を集中させると、微粒子はある特定の軌道を動き始めました。同じような軌道を描くのです。エーレンハフトはこれについて書いています。

「まったく新鮮で驚くべきことは、その容器内の微粒子の運動が直線ではないということだ。ほとんどのものが、ネジのような軌道を流れていく。形も大きさも一様にそうなのだ。例えばメチル・オレンジでの落下でも、そういった動きをする」

同様の結果が、磁場内の微粒子でも得られました。局所的なガスの流れや、微粒子の「帯電」では、そのようなネジのような軌道運動の説明にはなりません。それはそういったこととはまったく関係ないからです。

同じように興味深い事実があります。重力より130倍も強い力が微粒子に、それも求心力によって生じたのです。このテストに関するエーレンハフトのコメントです。

「この光や磁場内の運動に対して、既存の説明などできそうもない。新たなものに頼らざるを得なくなる」

ヴァルター・シャウベルガーは次のようにこの実験を解釈しました。

「運動するエネルギー粒子にはエネルギーの部屋がある。このエネルギーの部屋が周囲に影響を与える。

そして、大きな質量を持った粒子が、この部屋に引き込まれてくる。光子よりもはるかに大きな銀、ニッケル、炭素の粒子が、光子のくるくる回転するダンスに引き込まれてくるのだ。

私たちは物質の運動を学ばねばならない。それがわかれば、電子や光子の運動で、つまりわずかなエネルギーで『山』を動かすこともできるだろう」

要するに、エーレンハフトの実験は、自然の最も基本的な要素は螺旋状の運動をすることを示し

ヴィルベラ・フロー・フォームズは、1970年からジョン・ウィルクスが開発した方式を使って設計されたもの。写真には、連続した中の一つが写っている。このシステムを通る水流は、8の字型の水路でできる渦の蛇行の中で、リズミカルに鼓動する。こうして水質が処理される。それは生命維持能力を増加するための研究であり、また、すべての生命体が持つリズミカルな特性のためである。その総合的な環境が維持される。

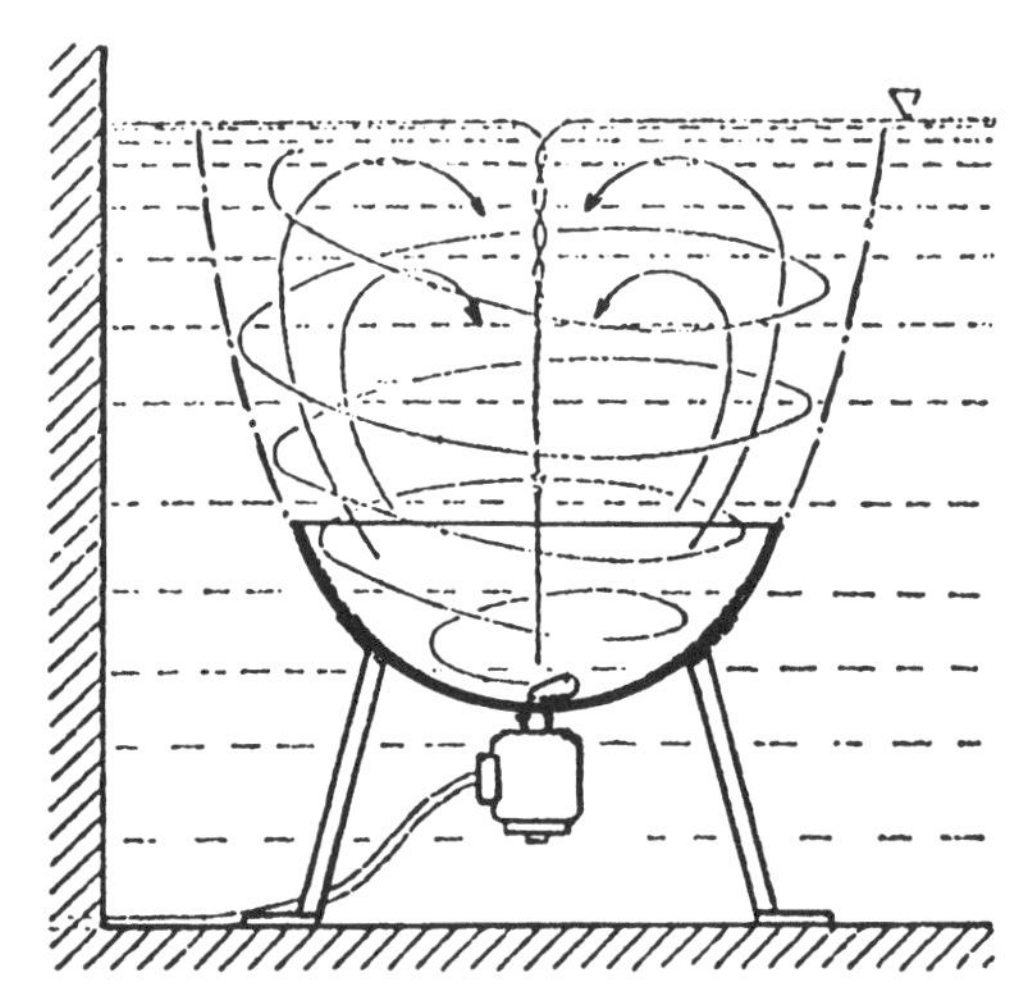

酸素を供給する水の装置。特別な攪拌装置が貯水池の中の、それに適した形の反応容器に取り付けられている。攪拌装置は水の中に空気を吸い込む渦を作る。酸素投与が増加することで汚染物質が分解される。

ていたのです。それが、ヴィクトル・シャウベルガーが自然界から模倣しようとしたことでした。

生物工学の分野でも活用されているシャウベルガーの環境技術

ヴィクトル・シャウベルガーの死後、実用的な方法、装置の開発、環境保護、生合成などに関する生物工学研究がなされてきました。

スウェーデンでは、シャウベルガーの研究を継承して、水と森の物理に関する研究が以前からなされてきました。

水と空気の濾過に関する研究は、ヴァルター・シャウベルガーが新たな特許を取得しました。次の図（訳注：次頁の図。図の説明は違うが、同じように使われると思われる）で、自動車の排ガス規制のための装置や加熱装置を紹介しましょう。これに関するヴァリエーションでは、合成して反応を促進するものに利用できます。

紹介したモデルは、特殊な形をした反応装置です。それは触媒として、なくてはならないものです。これは排気ガスから生じる二酸化硫黄の分離のために作られました。排気ガスが、圧力によって入口Aを通って強力に押され、空洞の内壁を左右に揺れながら運動していきます。

そしてさらに狭い首のほうへ向かって降りていき、Bで反応混合剤（この場合は水）と混ぜられ、

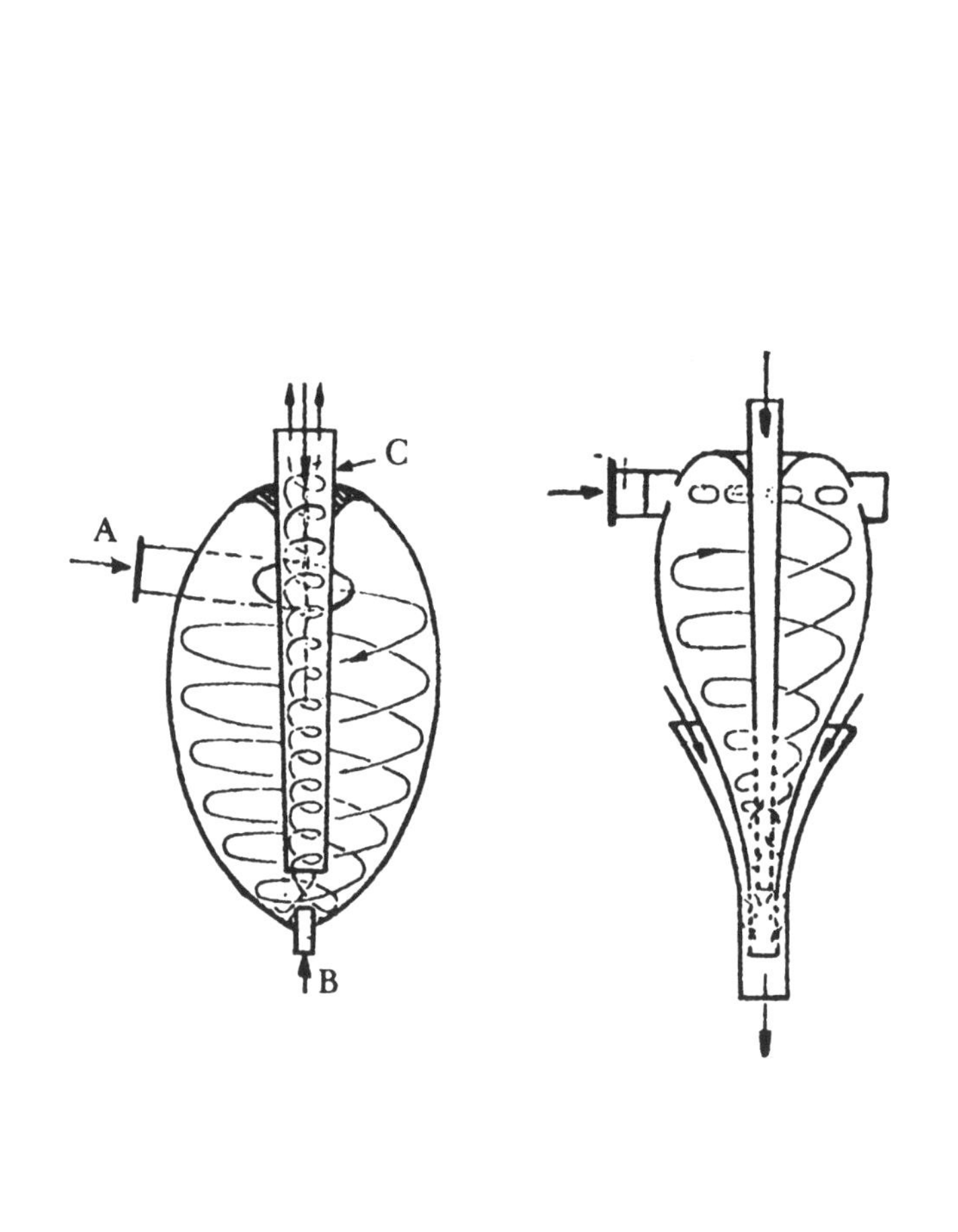

核融合のための加速器、二つのヴァリエーション。ヴァルター・シャウベルガーは、原子力発電所で使われる現在の原子炉に代わる、より安全な、このプロトタイプを研究した。

Bを通って巻き上げられていきます。二酸化硫黄は水と反応し、硫酸になります。つまり、長く引き伸ばされたパイプCの中で螺旋運動をしながら上がっていきます。最後に上の出口から吐き出されます。硫黄を放出した排気ガスも、狭くて長いパイプを通って同時に吐き出されます。

唯一の繁栄方法——空気・水・栄養物を生活の基本要素として大切にする

ヴィクトル・シャウベルガーの理論、そして研究は、さまざまな場面で、環境保護に関する革命的なものとなるでしょう。

彼は「考えている1オクターブの音階があまりにも低い」と言って、一般的な科学が自然界に向かう姿勢を批難しました。機械的な物質主義は、自然界を質的に見ているにすぎないという意味でした。

この10年で環境破壊がはっきりしてきました。また生物の研究からも、ヴィクトル・シャウベルガーをかなり弁護できるようになってきたのです。

根拠の希薄な経済的、技術的優先権、また利益を得るための強制、それが相変わらず私たちと自然との関係を支配しています。

自然保護対策でさえ、いまだに驚くべき方法が採られており、自然の働きよりも「1オクターブ下」にあるものがありすぎます。

ヴィクトル・シャウベルガーは明確な原理を私たちに示してくれました。それは私たちの生活環境を守り保護するための現実的な方法です。

この基本的な事実から特定の方向を見出すことが、さまざまな段階の科学にとって緊急課題です。それは今日の科学が直面する課題の中でも、おそらく最も急を要するものです。

政治家や経済学者も同じように新しい方法を考え始めねばならないでしょう。自然をもはや、物質的な幸福の基盤とみなすべきではありません。それは私たち生命の生活になくてはならない基礎なのです。

使用過剰によって自然を損なえば、生活の質はすぐに低下し、最終的に生物の廃退が起こるでしょう。

空気、水、栄養物が、もはや基本的な生活要素として機能しなくなれば、経済、社会、政治は廃退し、生態系のカタストロフィーが生じます。

基本的な生活要素を大切にすること。これが将来の幸福の安全基盤です。そして自然界と人類が健康と幸福を得るためのものです。これこそ、ヴィクトル・シャウベルガーという開拓者が人々に強調し、教えてくれた遺産なのです。

宇宙の渦である星雲の螺旋

新装復刻版　訳者あとがき

本書はヴィクトル・シャウベルガー（１８８５〜１９５８）の渦に関する発見と発明が詳細に記されている。しかしそれだけではなくシャウベルガーの伝記にもなっている。それが他書にはなく簡潔にまとめられて読み易くなっていると思う。

その舞台は彼の生活したオーストリアの森の中。自然とともに暮らしたのであったが、彼はエコロジスト、自然観察者、あるいは博物学者の域にとどまってはいなかった。

はじめは単に自然を観察し、自然を『活用』した人ぐらいにしか思っていなかったのだが、シャウベルガーのことを調べるにつれてその思いは変わって来た。彼は万物の、そして宇宙の究極の法則、すなわち渦を探求した人物だったのだ。

渦が究極の法則であることは、古代から、それは現代の私たちの知り得ない遥か昔から伝わり残ってきたものである。それは渦を象徴するスワスティカである。スワスティカといっても、右まわりと左まわりの両方のことをいうのだが、それが時代とともにどちら向きが正解なのかという偏った主張まで登場することになった。

スワスティカとは渦を象徴するものであり、それはだからこそシャウベルガーに通じるものであり、いや、シャウベルガーの考えそのものでもある。彼の発明品が本書で幾つか紹介されているが、そこにも右まわりの渦とか左まわりの渦とかいろいろあるのだろうが、そのような専門的なことは私にはわからない。とにかく渦なのである。

現在では、ＬＥＤ照明その他を使った、自然光に当てない栽培も増えてきた。しかしシャウベルガーの言葉には、そこに次のような何か一石を投じるものがある。

『混沌とした森であってこそ、木々は立派に成長する』

混沌と言っても、それは木々や下草、水の流れ、地衣類、菌類、土壌の様子などが相互依存し合い、植物、昆虫、鳥、動物そして大地などが情報をやり取りしながら育つ世界である。そしてそれは情報だけではなく、もちろん栄養分も豊かに十分に循環している森である。

現在ではＬＥＤ照明その他を使った、しかし色光線、赤外線その他不可視の光線や自然光などを使わず、他の植物と隔離し、菌類の少ない水耕栽培などの、いわゆる植物工場と言われるものが徐々に出来上がりつつある。

そして植物に音がいいとなると、一日中、音楽を当て続けている。しかし自分を見つめてほしい、同じ音楽を聴き続けることがどれくらい苦痛であるかということを。植物たちは、特定の昆虫の音などに聞き耳をたてて反応するということが、最近の科学ニュースにあった。昆虫が来ていないときには、自分の身体の中で必要なことをしているのだ。

それなのに私たちはモーツァルトの音がいいと聞くなら、それを流し続けるが、植物はモーツァルトを知らない。そこに自然界の立派な相互依存関係はあるのだろうか。

そこに欠かせない条件こそが水なのである。

シャウベルガーは、水は生きているものであるから、水の流れも直線であってはならず、曲線、そして渦を使うものだと述べている。直線に流れる水は疲れ果て、流れるパイプとの摩擦も多くなる。まして、いつも水が照明を当てられているなら、水は疲れてくるという。それがシャウベルガーの水は生きているという本書のテーマである。

果たして植物を物として育ててよいものか。また水、空気、土という重要な三要素も生きているのであれば、それが疲弊しないように気を使い、生き生きとする必要があるだろう。

本書を読むと自然界を見る目も変わってくるだろう。これまで自分の考えてきた自然を思う気持ちとは何だったのか、何て軽く考えていたのかと反省させられてしまうものだ。それとともに、それならもっと自然を観察してみようという気持ちにもなってくる。それも実際に自然の森に出向いてみたくなるのだ。それはキャンプのときでもいいだろう。街の人工光を見ているときと違って新鮮な発見、驚き、疑問が出てくるかもしれない。

「いや、そうではない、そう思うのは良くないことだ。私たちは、ここまでせっかく築き上げてきた文明にいるのだ。だから自然界を従わせなければならない」と思う人たちもいる。しかし私たちは自然から離れてはいないのであり、それが結局は宇宙の中にいるということでもあるのだろう。

自然界とは私たちの考えるようなものではないとシャウベルガーはいう。そうなるとますます、シャウベルガーのいう本当の自然を見たくなる。しかし、シャウベルガーは自然を見ているだけではなかった。『自然を見て、自然を真似る』。それを実践してきた人物だった。

それで彼は学問を嫌っていたというように勘違いする人もいる。しかし、彼は英語を話せなかったものの、物理や数学の英単語などは知っていたという。彼は学問書にも接していたのかもしれない。

そして彼はさまざまな自然界を真似る装置を作ってきた。あるときは水の流れを、またあるときは魚のマスの流線型から考えた渦の流れを、そして泉の渦と同じように水を精製し、大気を使って浮揚する空飛ぶ円盤まで作っていたという。ただし空飛ぶ円盤と言われる物の形に似ている浮上装置を作ったということでしかないのだが、現代ではこれまた勘違いされている。

さらに現代では、超高速コンピューターを使って水や大気の流れのシミュレーションができる。ところがシャウベルガーは、流体に関する計算式では計算し難い、あるいはそれを超えているものが水の流れであるという。そうであるなら、シャウベルガーが考案した精密な装置とはどういうものなのだろう。

ある大学の先生は「まず自然現象があり、計算式は後からつけられるものだ」と述べておられた。とても謙虚な答えに恐縮した覚えがある。むずかしい計算式はわからないが、自然界の相互依存すべてを式で表すことはできないということはわかる。そして大きく、統一した式を作り出す必要がないことも。

そこには計算式ではなく、もっと良い方法があるのかもしれない。それをシャウベルガーは使っていたのだろうか。小さな子供たちがするような、わかりやすいものであるけれど、実は奥が深いという方法だろうか。

シャウベルガーの論文はドイツ語であったが、それをカラム・コーツという人物が翻訳して出版することで、シャウベルガーは世間に広く知られるようになった。

しかし、シャウベルガーは自分にしかわからないような用語を作り上げ、また図面もそして文章も、細かいところまで書かずに省略して次の文章へ移っているものも多い。それは彼の文章を英文に直した書、数冊を読んでわかってきた。

だから彼を知るには、1つの論文ではなく、幾つかのものを読まなくてはならない。ただ、その作業を続けるうちに、彼の考えに何となく通じるようになってくるのが不思議である。

オロフ・アレクサンダーソンは、本書でシャウベルガーの論文を多数紹介しているが、イメージを思い描き難いものや、どのようにも受け取れるものがある。本書で、それをわかりやすく解説を入れながら説明してくれているのだが、相変わらず釈然としない箇所もある。深い森の中にいるシャウベルガーの声を遠くから聞いているような気持になる。

また、他書でシャウベルガーについてはこう書いてあるが、アレクサンダーソンとしてはこう思うとか、アレクサンダーソンの持っている資料ではこうなのだというものもある。それについては訳注を付け加えておいた。

ただ、本書は、シャウベルガーとはどのような人物であり、どのようなことをしたのかということを伝えたいという情熱、気持ちがとてもよく伝わってくる。

日本ではシャウベルガーの知名度は相変わらず低く、たとえ知っていても、フリーエネルギーや空飛円盤と結び付けられているに過ぎない。実はそうではないということが、本書には書かれてある。

結局は自然から、私たち人間が離れられないものなのであり、自然界そのものだということがわかる。物質中心主義の私たちは自然を、特に植物や水を物以下と見下しているかもしれない。それに対して警鐘を鳴らす書でもある。新たな技術は、自然界を真似ることから生まれることが多いのだから。

本書が、日本のこの重要な時期に出て、自然とともに自然を利用する方法を模索するための一助になることを願っている。

遠藤昭則

オロフ・アレクサンダーソン　Olof Alexandersson
ヴィクトル・シャウベルガーの息子ヴァルターのピタゴラス・ケプラー・スクールの研究を知り、ヴァルターにインタビューをするなど、スウェーデンにおいてシャウベルガーの膨大な資料収集をもとに本書を作り上げる。熱心な自然保護論者であり、電気技術者でもある。本書は1976年にスウェーデンで出版されたが、約10年間、他国では出版を許されなかったといわれる。それによって、シャウベルガーの思想・科学原理が曲解されずに守られてきたともいわれている。

ヴィクトル・シャウベルガー　Viktor Schauberger
1885－1958。幼少の頃よりオーストリアの自然の中で環境を観察し、地球と自然界のすべてはつながっており、そのどれひとつが欠けてもバランスを失うことに気付く。人類が自然を破壊してゆけば、自然環境の重要な循環連鎖を壊すことになり、ひいてはわれわれ自身がその悪影響を受けることになると警告した。
また、自然界は、内へと向かう運動原理によって、無理なくエネルギーを獲得する働きをしているが、人のつくり上げた機械装置や思想に至るまで、すべては外へと向かう破壊の運動原理のため、エネルギーを浪費しているとも述べている。
自然の営みを熟知し、自然の力を生かした数々の装置を発明・製作したが、多くは現存しておらず、また文書もほとんどが散逸、紛失しており、未だに彼の思想・科学原理は大きな謎に包まれている。

遠藤昭則　えんどう あきのり
1954年2月23日千葉県生まれ。
33年間の中学校数学教員、著述家、自然哲学者、arl（生命を積極的に認識する活動）主宰。
一般書籍、電子書籍（Amazon Kindle）など多数。
ブログ『星々への切符』http://schwarzblau.blog.fc2.com/
YouTube『遠藤昭則の研究室』https://www.youtube.com/@searchforlife7

本作品は、2012年２月にヒカルランドより刊行された『奇跡の水』に加筆修正した
新装復刻版です。

巨大闇権力が隠蔽した禁断原理
《渦巻く水》の超科学
未来を救う「シャウベルガー理論」の全貌

第一刷　2023年6月30日

著者　オロフ・アレクサンダーソン
訳者　遠藤昭則

発行人　石井健資
発行所　株式会社ヒカルランド
〒162-0821　東京都新宿区津久戸町3-11　TH1ビル6F
電話　03-6265-0852　ファックス　03-6265-0853
http://www.hikaruland.co.jp　info@hikaruland.co.jp
振替　00180-8-496587

本文・カバー・製本　中央精版印刷株式会社
DTP　株式会社キャップス
編集担当　溝口立太

ISBN978-4-86742-270-0

ヒカルランド　好評既刊！

地上の星☆ヒカルランド　銀河より届く愛と叡智の宅配便

潰された先駆者ロイヤル・レイモンド・ライフ博士とレイ・マシーン
著者：ケイ・ミズモリ
四六ソフト　本体2,000円+税

「この商品は、安全でかつ手軽に体調を整えられるもので、多くの人を元気にしたいと思い開発しました。

有機ゲルマニウムが、健康を向上させることは広く知られています。もともと自然界に存在するこのミネラルは、サルノコシカケや高麗人参、霊芝などにも微量に含まれており、長年活用されてきました。

活性酸素の消去作用、抗ウイルス作用、消炎作用、細胞への酸素供給量を向上させる作用など、科学的な実験データもたくさん報告されています。

ゲルマニウムが大流行した際、一時期は粗悪な商品まで流通したため、その名誉が貶められてしまいました。この「スーパールルドの天使」に含まれている有機ゲルマニウム「ルルド32」は、高品質かつ貴重なもので、もちろん人体への害はありません。

さらに、「自由電子濃縮液」という高濃度電子水を組み合わせました。これは、1cc中に「3×10の19乗個」という、天文学的な数の自由電子が安定した状態で封じ込められていますので、体内のソマチッドを活性化することが期待できます。

ベースに使いました「いわまの甜水」は、温泉法の許可を取得した天然のラドン水であり、そのままでも素晴らしいお水です。聖地、「ルルドの泉」にも匹敵する霊的なエネルギーを実現できたと思います」

（開発者：櫻井喜美夫　談）

体験談

●まず朝の目覚めがよくなりました。うつ気味の毎日ですが、これを飲むと気分も晴れやかになります。胃の具合もよくなかったのですが、食欲も少し湧いてきました。「スーパールルドの天使」を毎日少しずつ飲んでいるだけなのですが、よい方向に変化していると思います。（東京都　男性・60代）

●疲れがたまりにくくなりました。関節や筋肉のこわばりも減ったようです。血液検査の結果がよかったのも、これのおかげかなと思っています。（埼玉県　女性・70代）

ヒカルランドパーク取扱い商品に関するお問い合わせ等は
メール：info@hikarulandpark.jp　　URL：https://www.hikaruland.co.jp/
03-5225-2671（平日11-17時）

＊ご案内の価格、その他情報は発行日時点のものとなります。

シリウス系のエネルギーにあふれる
聖地の力を秘めた水
「スーパールルドの天使」

"酸素の宅急便"
有機ゲルマニウム

"ソマチッド活性化"
自由電子

"原初の水"
いわまの甜水(てんすい)

スーパールルドの天使
1000mℓ（1本）
価格　12,960円（税込）

飲み方：1か月で1本を目安にお飲みください。少量をそのまま口に含んでも構いませんが、3～5倍に希釈して飲むことをおすすめしています。

「スーパールルドの天使」は、心身の不調で悩まれている多くの方にエネルギー不足解消へのお力添えをしたいという思いから生まれたヒーリングウォーター。ルルドの泉にあやかって「スーパールルドの天使」と名付けられました。"原初の水"として知られる音羽山系の天然ラドン水をベースに、世界最高レベルの有機ゲルマニウム・ルルド32を配合しています。

古代微生物「ソマチッド」＋テラヘルツ鉱石「キミオライト」が融合したパワー・セラミック

新シリウスボール

■２個入り 24,000円（税込）

健康と成長、若返りの共鳴周波数をいつも携帯すれば、テラヘルツ振動で心身を活性化。飲水に入れれば分子をクラスター化。手に持って深い瞑想へのいざないに。ヒーリングに活用される施術家もいるほど。用途は工夫次第！

●原料：キミオライト＋貝化石（70%）、トルマリン、磁鉄鉱（各５%）、ガイロメ粘土（20%）

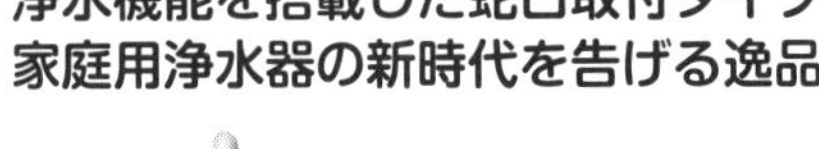

浄水機能を搭載した蛇口取付タイプ家庭用浄水器の新時代を告げる逸品

テラヘルツｖＧウォーター《蛇口取付型》

■ 297,000円（税込）

●サイズ：高さ305㎜×胴径102㎜×ベース径135㎜

●メンテナンスフリー

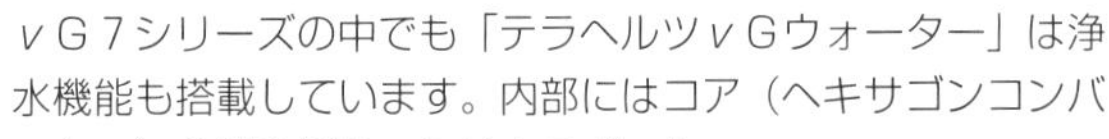

ｖＧ７シリーズの中でも「テラヘルツｖＧウォーター」は浄水機能も搭載しています。内部にはコア（ヘキサゴンコンバーター）２連のほか、シリウスボール、残留塩素を除去する国産最高品質の粒状活性炭、赤さびなどの不純物を除去するシラスサンド、さらに濾材をスプリングで押し付けることで濾材のゆるみを防ぎ、浄水効果を安定させる SHF システム（spring held filtration）を導入。生命に繋がる浄化&浄水された量子水をご堪能ください。

【お問い合わせ先】ヒカルランドパーク

＊ご案内の価格、その他情報は発行日時点のものとなります。

本といっしょに楽しむ イッテル♥ Goods&Life ヒカルランド

■六角型で高次元のエネルギーが転換される!?

エネルギー系の波動商品は数あれども、νＧ7シリーズほどシンプルで不思議なものはないでしょう。なにせ、中身の見た目はただのナットなのですから！　特殊加工されているとはいえ、工具箱に入っているようなネジ部品を組み合わせただけで、水や空間のエネルギーが活性化するなんて！

開発者の野村修之（株式会社ウエルネス代表取締役）さんは若い頃に大事故に見舞われて以来、辛い思いを重ねながら、さまざまな治療を試してみたそうです。ある時、仲良くなったある気功師と意気投合して「気というエネルギーは、どんな形状や物質と相性がいいのか」を研究。すると「鉄は気が入りやすいけど抜けてしまう。アルミは入らない。ステンレスは気を安定させる。六角型は気が外側に流れだしている」ことが分かってきました。ならば身近にあるナットを活用すればいいのではとなったそうです。

ヘキサゴンフィールドコンバーターは、νGナットを組み合わせて作られた六角型の構造。水や空気が通過すると電子を効率的に取り込んで活性化。分子間のエネルギー交換が効率的になり生命体の活性化にもつながります。

野村さんは遊びがてら、ナットを組み合わせたものに気のエネルギーを入れたものを試作して、友人にプレゼントしたのだそうです。ある人は豚舎に設置してみたところ、子豚の死亡率が激減。またある夫婦は、部屋に置いておいたら不妊症だった夫人が子宝に恵まれたなどと感謝されることになり、野村さん自身がびっくり。本格的な製品開発に乗り出すことになりました。今ではこのνGナットは、一つひとつに熱や電気などを加えて、気が注入されたのと同じ作用を持つように工夫され、世界中で特許を取得しています。νＧナットの中を水や空気が通過していく時、微弱な電気エネルギーが発生するのではないかと考えられています。あのNASAもひそかに注目しているのも頷けます。特許を取得した実績に加え、論文、体験談、数々の導入実績はここではとても紹介しきれないほど。

■あのシリウスボールと強力コラボ

開発者の野村修之さんは、シリウスボールを開発された櫻井喜美夫さんと長年親しくされているとのこと。「本当は教えたくないんだけど、組み合わせるとνＧ7のパワーがぐんと増すんです」と太鼓判。「シリウスボール」はキミオライトとソマチッドを融合した特殊なセラミックです。キミオライトには電子を供給する働きがあり、電子が増えるほどソマチッドは生命力を増します。

また、科学者から「生命エネルギー光線」とも呼ばれるテラヘルツ波が群を抜くほど照射されているキミオライトは、各社の浄水器にも使用されています。

ヒカルランド　好評既刊！

地上の星☆ヒカルランド　銀河より届く愛と叡智の宅配便

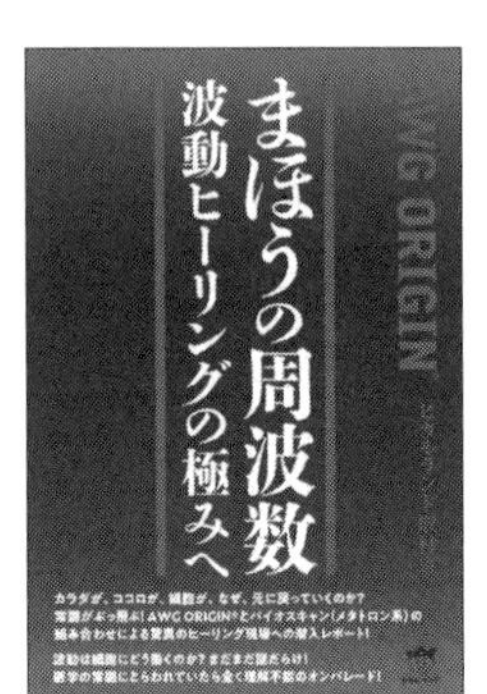

まほうの周波数
波動ヒーリングの極みへ
著者：ヒカルランド取材班
四六ソフト　本体2,200円+税

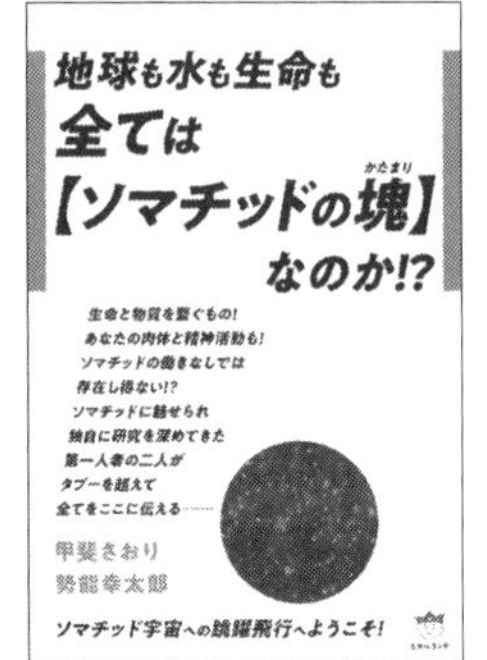

全ては【ソマチッドの塊(かたまり)】なのか!?
著者：甲斐さおり／勢能幸太郎
四六ソフト　本体1,800円+税

タイムウェーバー
著者：寺岡里紗
四六ソフト　本体2,000円+税

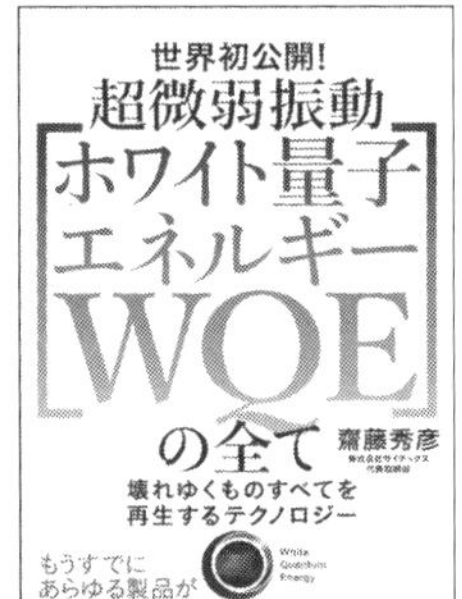

超微弱振動
[ホワイト量子エネルギー WQE]
の全て
著者：齋藤秀彦
四六ソフト　本体2,000円+税

量子波動器【メタトロン】のすべて
著者：内海 聡／内藤眞禮生／吉野敏明／吉川忠久
四六ソフト　本体1,815円+税

CMC（カーボンマイクロコイル）のすべて
著者：元島栖二
四六ソフト　本体2,000円+税